D0091752

LOS MAS INTELIGENTES
CHISTES DE GALLEGOS

PEPE MULEIRO

Los más inteligentes chistes de gallegos

PLANETA
La Mandíbula
Mecánica

LA MANDÍBULA MECÁNICA

Dirigida por Diego Mileo

Diseño de cubierta: Mario Blanco
Diseño de interiores: Alejandro Ulloa
Ilustraciones de cubierta e interiores: O'Kif

Sexta edición: marzo de 1994
© 1993, Pepe Muleiro

Derechos exclusivos de edición en castellano
reservados para todo el mundo:
© 1993, Editorial Planeta Argentina S.A.I.C.
Independencia 1668, Buenos Aires
© 1993, Grupo Editorial Planeta

ISBN 950-742-413-X

Hecho el depósito que prevé la ley 11.723
Impreso en la Argentina

A Paula, Sebastián y Lucas
Y a Cecilia, que la mira por TV.

PUNTERÍA

Era un gallego tan bruto, tan bruto, tan bruto, que disparó un tiro al aire... ¡y le erró!
(A continuación, repetimos el chiste para el caso, altamente improbable, de que este libro haya caído en manos de un gallego.)

Era un gallego tan bruto, tan bruto, tan bruto, que disparó un tiro al aire... ¡y le erró!
(De acuerdo, si suponemos que un gallego leyó el chiste, es lógico entonces que repitamos una vez más:)

Era un gallego tan bruto, tan bruto, tan bruto, que disparó un tiro al aire... ¡y le erró!

Como suponemos que a estas alturas el gallego, desorientado y exhausto, ha abandonado la lectura de este libro, continuamos normalmente:

¡¡¡Catástrofe!!!

—¡Atención, Madrid! ¡Tenemos una noticia de último momento! Transmitimos desde las afueras de Pontevedra.

—*Adelante, Alvariños, ¡lo escuchamos! ¿Cuál es la noticia?*

—Un avión de ocho plazas ha caído sobre el cementerio local. El aparato ha quedado completamente destrozado. Los bomberos remueven los escombros y cavan para ubicar a las víctimas. Hasta el momento se han encontrado 3.247 cadáveres.

¡Qué animalada!

—¿Sabes Manolo? Todas las noches me acuesto con las gallinas.

—*Yo no puedo. Sólo tengo palomas.*

Comer, beber y joder

El gallego Mariñas era una bestia comiendo. Un día entró en un restaurante, el mozo le alcanzó la carta, él la leyó completa y dijo:

—*Está bien. Y después un café.*

El dedo donde se imaginan

—¿Por qué los proctólogos gallegos te meten dos dedos en el culo en lugar de uno como todos los demás?
—*No sé.*
—Para tener una segunda opinión.

Cacería sangrienta

Fernández y González fueron de caza. Salieron con dos escopetas y cinco perros. A la media hora volvieron... a *buscar más perros.*

Stop - Pare - Deténgase

El gallego abrió un restaurante en la ruta 202, bastante transitada.
Un amigo le aconsejó *que pusiera un cartel en el camino, para atraer clientes.* Al gallego le pareció una idea bárbara.
Unos meses después, el amigo del gallego pasó por el restaurante pero no vio ningún cartel. Pensó que el gallego se habría arrepentido. Pero unos cuantos miles de metros más adelante se encontró con un enorme y muy iluminado cartel que decía:
Restaurante - Retroceda 4 kilómetros

¡La va a besar! ¡La va a besar!

Manolo se casó con la Pilarica. El no lo sabía, pero la Pilarica había pasado de mano en mano antes de conocerlo.

La noche de bodas la pasaron en el hotel del pueblo. Como los lugareños eran muy chismosos, se amontonaron junto a la puerta del cuarto del Manolo y la Pilarica para oír qué sucedía.

Lo primero que escucharon fue a Manolo que decía:

—Ahora voy a besarte como nadie, Pilarica.

Afuera se corrió el rumor:

—*¡La va a besar! ¡La va a besar!*

—Ahora voy a abrazarte como nadie, Pilarica.

—*¡La va a abrazar! ¡La va a abrazar!*

—Y ahora voy a hacerte lo que nadie te ha hecho antes, Pilarica.

—*¡La va a matar! ¡La va a matar!*

La cárcel es una mierda

El recluso gallego armó un verdadero escándalo en la cárcel.

—*¡Esta prisión es un asco! La comida es una porquería: ¡He encontrado una lima dentro del pan!*

¡Ultimo momento!

Un grupo de prisioneros escapó en *helicóptero* de una prisión gallega. Las autoridades policiales locales ordenaron *bloquear todas las carreteras* para detener a los prófugos.

La marca del Zzzzorro

El gallego cruzaba el bosque. De pronto, se le apareció uno jinete a caballo, enmascarado y vestido de negro, con capa. El enmascarado le pidió todo su dinero, pero el gallego se negó a dárselo. Entonces, el enmascarado desenvainó la espada y con rápidos movimientos marcó una enorme Z en el tronco de un árbol.
—*¿Sabes ahora quién soy?* —preguntó el enmascarado.
—¡Sí, sí! Toma mi dinero, *Zuperman*.

Que eso no se toca...

El galleguito a su madre.
—*¿Puedo ir a ver el eclipse, madre?*
—Bueno, pero no te acerques demasiado.

¡Gonzaaaaaáleeezzzz!

Dos barcos estaban amarrados en el puerto. Uno era inglés. El otro, gallego.
Una noche, el marinero *Manolo González* salió a cubierta. Apenas se asomó, desde el buque inglés se escuchó que alguien gritaba:

—*¡Gonzaaaaáleeeez!*
El gallego, contestó:
—¡Sí... soy yo!
—*¡Andate a la puta madre que te parió!*
El gallego se mordió la rabia, trató de ver quién lo llamaba, pero sólo vio oscuridad.
A la noche siguiente, desde el buque inglés se escuchó:
—*¡Gonzaaáleeeez!*
—¿Qué?
—*¡Andate a la puta madre que te parió!*
El gallego se puso rojo de rabia. Pero tampoco pudo divisar a quien lo llamaba.
Así tres o cuatro veces más. Finalmente, el marinero González decidió contarle el desdichado episodio a su capitán.
—*Vea, González, le aconsejo lo siguiente... Esta noche, salga a cubierta y grite: "¡Smith, Smith!", y cuando le contesten, usted los insulta como hicieron ellos.*
—Usted es un genio capitán. Gracias. Eso haré.
Por la noche, González, decidido a vengarse, salió a cubierta.
Apenas la pisó, gritó:
—¡Smith! ¡Smith!
Desde el barco inglés le contestaron:
—*¿Quién lo llama?*
—González...
—*¿González? ¡Andate a la puta madre que te parió!*

Joder es un placer

Los dos náufragos gallegos llevaban dos años en aquella isla. Dos años de abstinencia absoluta. Finalmente, uno de ellos enfrentó el tema y propuso:

—*Deberíamos turnarnos. Un día pones el culo tú. Otro día lo pongo yo. Por lo menos un desahogo.*

—Pero ¿acaso estás loco? ¿Qué dices?

A pesar de la indignación, las resistencias fueron cediendo. En definitiva: una tarde, el reticente se colocó en posición y el otro lo calzó. Cuando estaban en lo mejor, el de arriba comenzó a acariciarle el pelo y a besarle la oreja. El de abajo, sumamente enfadado, dijo:

—Oye, tú, *mariconadas no*, ¿eh?

Hemorroides curadas

—*¿Cómo anda el tema de tus hemorroides, Paco?*

—Casi curadas. Tengo un amigo enfermero que me las está curando maravillosamente, Manolo.

—*¿Se trata de algún método doloroso?*

—¡Qué va! Hasta te diría que tiene un cierto gustillo.

—*¿Y cómo es?*

—Verás, mi amigo me tumba boca abajo, me pone una mano sobre el hombro izquierdo, la otra mano sobre el hombro derecho... ¡*Hostias!* ¿entonces con qué carajo me da el masaje en el culo?

Dato desconocido

Aunque no trascendió hasta ahora, se ha sabido que los gallegos colaboraron con la guerra de Vietnam: *Mandaron un submarino con 400 paracaidistas.*

Las chicas de la mala vida

Va el gallego a la iglesia.
—*Padre, ¿usted es el que aparta las chicas de la mala vida?*
—Sí, hijo. Eso procuro.
—*¿Tendría la bondad de apartarme dos para el domingo, padre?*

Lo pescó al vuelo

—He leído por allí, Paco, que las compañías aéreas están perdiendo últimamente muchos pasajeros.
—*Es que no cierran bien las puertas antes de volar, Pepe.*

Obrero de la pluma

—*Che, Manolo, ¿adónde vas vestido con mameluco?*
—Voy a mi primera clase en el *taller* literario.

Buenos vendedores

Los gallegos creen que para anunciar que una lata de pintura está en venta, *hay que ponerle un auto encima.*

Lo cargarán a golpes

El viejo gallego aconsejaba:
—*Nunca olvides, hijo mío: si te pegan en una mejilla, debes ofrecer la otra.*
—¿Tú crees padre? Mira que en la última pelea perdí por knock out en el primer round.

¡Qué muerte!

El gallego fue a la ciudad, pero le costó mucho adaptarse. Murió a los cinco días porque *no se animó a salir de una puerta giratoria.*

Gallegazo

Era un gallego feísimo, chueco, cejijunto y de gorra, pero tenía fama de irresistible Don Juan.
¿Cómo hacía?
He aquí una muestra de sus recursos para conquistar.

—*María, voy a amarte como nadie te ha amado.*

—Me han amado los hombres más hermosos de España, Francia, Portugal, Alemania, Mónaco y el Vaticano.

—*Pero yo voy a besarte como no lo ha hecho nadie, mujer.*

—Me han besado de todas las bocas, de todas las maneras.

—*Voy a besarte donde nadie te ha besado.*

—Me han besado todo el cuerpo, milímetro a milímetro.

—*Pero es que yo voy a besarte el clítoris.*

—¿El clítoris? ¡Ja, ja, ja! Me lo han besado ¡miles de veces!

—*¿Desde adentro, como yo?*

Hombre de mundo

El gallego hace su primer viaje alrededor del mundo. Al regresar al pueblo se reúnen los hombres para que cuente su experiencia. El farmacéutico, el más culto del grupo, le pregunta:

—*¿Y? ¿Qué tal las teutonas?*

—Y eso ¿qué es lo que es?

—*¡Pues las teutonas son las alemanas, hombre!*

—¡Ah! ¡Una maravilla las teutonas!

—*¿Y las galas?*

—¿Qué son las galas?

—*Las francesas, hombre.*

—¡Ah! ¡Qué mujeres don Cosme, qué mujeres!

—*Y dime, cuando estuviste en Egipto,¿qué te parecieron las pirámides?*

—¿Las pirámides? ¡Ah! ¡Putísimas, don Cosme! ¡Pu-tí-si-mas!

La goma que aprieta

Tres suecas espectaculares recorrían tierras gallegas. Calientes y contentas, toparon con un gallego campesino que, ya a través del pantalón, se veía que calzaba *monumental cipote*.

Calentaron al mozo convenientemente y se dispusieron a echarse tantos polvos como las fuerzas les permitiesen.

—*Conviene que te coloques esto, Pepín.*

—¿Esta goma? ¿Dónde tengo que ponérmela y para qué?

—*Es imprescindible que te la pongas en la pija. De otro modo podríamos quedar preñadas.*

Dócil, el gallego se colocó la goma y dio contento a las foráneas.

Las suecas se marcharon después de dejarle una agradecida propina.

Pasaron tres días. Entonces, resoplando y sudando, el hombre se quitó el condón. Y con lágrimas en los ojos, dijo:

—*¡Por mí, pueden quedarse mil veces preñadas, pero no aguanto más sin mear por esta puta goma!*

¡Ultimo momento!

Los polacos construyeron un puente *en medio del desierto del Sahara*. Ahora quieren desarmarlo pero no pueden. El puente está *repleto de gallegos que esperan que suba la marea para pescar*.

¡Cultura!

Un escritor gallego acaba de descubrir por qué no prosperaba su obra en los últimos años: *tenía la birome al revés*.

Mala calidad

Ante rumores de un posible mal estado de los chuletones gallegos, el alcalde de Vigo ha prometido probarlos todos *para certificar su calidad*.

Sociales

Una pareja se dio un beso en pleno centro de Santiago de Compostela, Galicia. La noticia no hubiera tenido resonancia si no se tratara de una *pareja de la Guardia Civil*.

Ferroviarias

Dos policías gallegos han conseguido *detener un tren*. El mérito hubiese sido mayor si no lo hubieran hecho *en la estación*.

Religión

La mayor parte de los fieles gallegos llevan *la fe atada con un hilo para no perderla o dejarla olvidada*.

Salud

Un obispo gallego afirmó que los gaiteros *transmiten el SIDRA.*

Pepe Gonzalevzky

En un restaurante judío de Nueva York, un cliente que acaba de llegar desde Israel hace llamar al dueño y le dice:
—*¡Estoy maravillado! ¡Lo felicito! Tiene usted un mozo gallego, de Lugo, que me ha enumerado el menú en perfecto hebreo. ¡Lo felicito!*
—¡Shhh! ¡Cállese, por favor! Que no lo oiga. El cree que estamos enseñándole inglés.

Satisfacción

El viejito gallego visita al médico.
—Verá usted, doctor: yo tengo 89 años y mi mujer, 85. Vengo porque ya no encontramos, en nuestra vida sexual, la misma satisfacción que antes.
—*Ajá ¿y desde cuándo ha notado esto?*
—Anoche fue la primera vez. Esta mañana, la segunda. Y hace un rato, la tercera...

¡Mira quién habla!

En la maternidad, los bebitos conversan:
—Che: ¿y vos qué sos? ¿Nena o nene?

Se levanta la camisita, mira y dice:

—*Yo soy una nenita.*

—¿Y vos?

Se levanta el otro la camisita y dice:

—*Yo soy varoncito.*

Le preguntan entonces al tercero, un bebito gallego, que se levanta la camisita y dice:

—*Pues no lo sé.*

—¿Cómo que no sabés? Si te levantaste la camisita y miraste.

—*Sí, pero es que mis escarpincitos son amarillos.*

Pornografía pura

El gallego Manolo regresó a su casa después de ver su primera película porno. Su mujer le preguntó:

—*¿Y cómo es esto de la pornografía, Manolo?*

—Verás, mujer: más que nada, son quejidos y suspiros. Puedo asegurarte que nunca había oído semejantes quejidos y suspiros.

—*Manoliño: ¿a ti te gustaria que yo suspirase y me quejase de ese modo, para ti?*

—Por qué no, mujer.

Dos noches más tarde, Manolo empezó a acariciar los pechos de su mujer.

—*¿Aquí tendría yo que empezar con los quejidos y los suspiros?*

—No, mujer, espera. Aún no.

Manolo empezó a meterle mano entre las piernas.

—*¿Ahora, Manoliño, suspiro y me quejo?*

—No, mujer, espera.

El gallego montó finalmente a su mujer, y mientras le introducía el miembro, dijo:

—Ahora, ahora empiezas a suspirar y a quejarte.

La mujer de Manolo casi gritó entonces:

—*¡Ayyy, ayyy, ayyy... tú no te imaginas, Manoliño, la cola que había hoy en el mercado... ayyy, ayyy, no te imaginas!...*

Con la boca abierta

La mujer de Manuel murió accidentalmente. La policía interrogó a Manuel:

—*¿Dijo algo antes de morir?*

—Pues verá usted, sargento: ella habló *casi sin interrupción* cerca de cuarenta años...

Castigo para Menem y Franco

Muere Menem y va al infierno. Lo hacen recorrer las instalaciones para que vea qué tipo de castigo le corresponde a los políticos.

Abren una puerta y ve que a Reagan le están machacando las pelotas a martillazos.

—*Paso* —dice Menem.

Abren otra puerta y están quemándole el culo con un hierro a Hitler.

—*¡Pero por favor!* —dice Menem— *Io no estoy para estas cosas.*

Abren otra puerta y está el galleguísimo general Franco tirado en una cama y una rubia maravillosa le chupa frenéticamente la pija.

—¡Este, éste es el castigo que io quiero y me merezco!
—gritó Menem.

—¿Ah, sí? ¡No me diga! ¡Si el castigo aquí es para la rubia!

¿Qué es el pene?

Pregunta el galleguito:
—*Maestra: ¿qué es el pene?*
—Verás, Paquito: pene es el órgano sexual masculino.
—*¿Uhg?*
—¿No entiendes Paquito? Es lo que tienes entre las piernas.
—*No, si eso lo entiendo... lo que no entiendo es qué tiene eso que ver con lo que me dijo mi madre.*
—¿Qué te dijo tu madre?
—*Me dijo: debemos llevarle unas flores a la tumba de tu abuela para que su alma no pene.*

Problemazo de identidad

El gallego aquél era tan, pero tan tonto, que recién a los 56 años se dio cuenta de que no se llamaba: "*¡Tú Te Callas!*".

Todo al pedo

El nuevo rico gallego asiste a una fiesta de la más educada aristocracia europea.

Champán, maravillosos caviares, orquesta de cámara que desgrana adecuado barroco. Ambiente calmo, relajado.

El gallego participa de una charla (en realidad escucha) muy apacible. De pronto, a una joven se le escapa una ventosidad pequeña pero claramente registrada por todos los presentes.

Con gran sentido de la oportunidad, un caballero sentado a su lado dijo:

—*¡Señores, lo siento! Algo me ha caído mal. Me retiro.*

El gallego quedó deslumbrado por aquel caballero. Por su elegancia, por su valentía al hacerse cargo de la situación y de una culpa que no le pertenecía. Inmediatamente pensó que si algún día se le presentaba la oportunidad haría algo similar. Sin dudas, una actitud como ésa, le valdría el reconocimiento inmediato de todos.

No tuvo que esperar mucho. A los quince minutos, una señora bastante obesa, al ponerse de pie, despidió un gas mucho más evidente y sonoro que el de la jovencita anterior.

El gallego, en fulminante reacción, gritó:

—*¡Señores, tranquilos! ¡El pedo de esa vieja corre por mi cuenta!*

¡No me joyan más!

El gallego pasaba por la puerta de la joyería justo cuando rajaban los asaltantes y aparecía la policía. En el entrevero, los canas no distinguieron y se llevaron al gallego a la comisaría convencidos de que era uno de los chorros.

A los diez minutos, los canas estaban torturándolo. Querían que confesase dónde estaban las joyas.

Para que hablase, le metían la cabeza adentro de un enorme piletón de agua y cuando estaba a punto de ahogarse, lo sacaban.

—*¿Dónde están las joyas?*

Lo único que decía el gallego, medio ahogado, sin respiración, era:

—¡Aghhhh, ughh, puajjjj!

Y otra vez adentro del piletón:

—*¡¿Dónde están las joyas?!*

—¡Aghh, puajttj, aaay!

Y así durante tres horas. Hasta que el gallego consiguió tomar un resuello y, semiahogado, dijo:

—Bueno, joder, consíganse otro buzo que busque porque yo ahí abajo no encuentro un carajo. Además, no se ve nada.

NOTICIAS II

Confirmación
Para enterarse de lo que dice el cura los gallegos van a misa *dos veces*.

26

Ovnis
Una flotilla de ovnis aterrizó en Galicia. Se marcharon casi inmediatamente *al no encontrar vida inteligente*.

Ausentismo
Una encuesta realizada por el Ministerio de Educación, ha demostrado que todos los niños gallegos van a la escuela... *pero no entran.*

Culinarias
Una gallega de Orense logró cocinar una *sopa instantánea* en *3 horas y 53 minutos.* El récord anterior lo tenía una vecina de Pontevedra con *3 horas y veinte minutos.*

Enseñanza
Un maestro de La Coruña se suicidó y dejó una nota: *"Nadie me entendía".*

Estadísticas
El cien por ciento de los gallegos está a salvo de la penetración ideológica: *no les entra nada.*

Interior
El gobierno gallego ha declarado de *inutilidad pública* el Servicio de *Inteligencia Gallega.*

Guerra
Acaban de descubrir a un *espía* gallego por *asomar la cabeza.*

Electricidad

Cuatro gallegos murieron *electrocutados* al tratar de colocar una bombita. Los tres que *daban vueltas al que la ponía*, murieron intantáneamente.

¡Manolo !¡Presente!

Durante la guerra entre España y Francia a un general francés se le ocurrió una excelente idea. Como el regimiento enemigo estaba compuesto principalmente por gallegos, calculó que habría muchísimos *Manolos*. Entonces, el francés ordenó:

—Que un soldado se aposte frente a las trincheras españolas y grite bien fuerte: "*¡Manolo, Manolo!*".

El soldado corrió a su puesto y gritó:

—*¡Manolo, Manooooolo!*

Inmediatamente, en las trincheras españolas asomaron cientos de cabezas.

El general francés ordenó disparar. En esa sola acción perdieron la vida más de 120 gallegos.

Para vengarse, al día siguiente, los españoles decidieron utilizar la misma estratagema. Enviaron a un soldado cerca de las trincheras francesas, quien gritó:

—*¡Pierre, Pieeeerre!*

—¡Aquí no hay ningún Pierre! —contestaron los franceses.

Luego de unos segundos de desconcierto, se escuchó:

—*¡Coño! ¡De la que os habéis salvado!*

Tarzán con Chita

—*Si Tarzán fuera gallego... ¿cómo estaría Chita?*
—No sé.
—*Embarazada.*

¡Ajjjjj, qué asco!

El Gran Concurso Internacional era para ver quién podía aguantar más el olor de un zorrino.
Los tres finalistas fueron: *un americano, un alemán y un gallego.*
El primero en entrar al recinto donde estaba el zorrino fue el americano. Quince minutos después, la puerta se abrió violentamente y salió el americano gritando:
—*¡Saquen a ese maldito zorrino de allí! ¡Shit!*
Entró entonces el alemán. A los treinta y seis minutos, se abrió la puerta y salió el alemán al borde del desmayo.
—*¡Retiren a ese maldito zorrino de allí! ¡Es insoportable!*
Finalmente, le tocó el turno al gallego. Entró bastante decidido. Apenas pasaron treinta segundos, se abrió la puerta.
El alemán ya saboreaba su triunfo.
Hasta que salió el zorrino gritando:
—*¡Saquen de allí a ese gallego de mierda!*

¡Pido pista! ¡Pido pista!

El vuelo 234 de la *British* sufrió un desperfecto sobre territorio de Galicia. El piloto, muy experimentado, decidió aterrizar en el aeropuerto más próximo. Se trataba de un aeropuerto muy moderno pero recién inaugurado en las cercanías de un pueblito gallego donde los controladores, además de ser lugareños, eran novatos.

—*Vuelo 234 a Torre de Control. ¡British 234 en emergencia! ¡Pido pista! ¡Pido pista!*
Silencio. La torre de control no respondía.
—*British 234 en emergencia. ¡Pido pista, pido pista!*
Nada. Sólo el chisporroteo de la estática.
—*¡Por favor, torre de control! ¡Ya no tengo gasolina! ¡¡¡Pido pista!!! ¡¡¡Pido pista!!!*
Finalmente, se rompió el sonido de la estática y pudo oírse al controlador gallego:
—Ahí va *una pista*: es redondo y negrito, entra y sale calentito. *¿Qué es?*

El explorador

Los caníbales atrapan al explorador gallego en plena selva.
—Vamos a comerte. Y luego, con tu piel, nos haremos una canoa.
El gallego lanza un aullido brutal, consigue arrebatarles un cuchillo y *se lo clava a sí mismo* en todo el cuerpo mientras grita:

—Comerme, me van a comer... pero ¡la canoa os la reviento, carajo!

Dan ganas de llorar

—Pero, Paco, ¿por qué llevas el auto repleto de cebollas?
—Es que el médico me ha dicho que la cebolla es buenísima para la circulación.

Telefonía moderna

—¡Hola! ¿Manolo? Te llamo por la cortadora de césped.
—¡Carajo, Pepe, qué bien se escucha!

Así vamos muertos

Entra el gallego al velorio. Se acerca a la viuda que llora desconsolada junto al cajón.
—Lo siento...
—No. Mejor déjelo acostado.

El tipo se cuidaba

Le preguntan al condenado a muerte gallego qué modo de ejecución prefiere.

—*Quiero morir de sida.*

—Concedido.

Dos médicos llegan hasta la prisión e inyectan el virus del sida en las venas del condenado. Mientras lo están inyectando, el gallego ríe sin poder parar.

—¡Pero hombre! ¿Cómo ríe usted de esta manera? ¡Le estamos inyectando el sida!

—*¡Ja, ja, ja! !Es que tengo puesto un forro! ¡Ja, ja, ja!*

¡Click!

Había un gallego tan, tan tonto, pero tan, tan, tan tonto, que pensaba que en una *Orquesta de Cámara* tocaban con *Kodaks, Nikons y Polaroids.*

Pinturita

Contratan a un gallego para que pinte las líneas blancas de una carretera.

El primer día, el gallego pinta diez kilómetros en un abrir y cerrar de ojos.

El segundo día, pinta ocho kilómetros más.

El capataz estaba muy contento y se decía:

—*¡Qué bien trabajan estos gallegos!*

Al tercer día, el gallego pinta otros cuatro kilómetros y al cuarto sólo llega a pintar un kilómetro.

Durante los dos días siguientes el gallego apenas alcanza a pintar una curva y algunas líneas discontinuas.

El capataz, enojadísimo, le pregunta entonces:

—¿Cómo es posible que el primer día pintaras diez kilómetros de un plumazo y el último no hicieras ni tres metros?
—¡Hombre, es natural!
—¿¡Cómo que es natural!?
—Pues sí que es natural, ¿No ve usted que cada día
me queda mucho *más lejos el tarro de la pintura?*

Diarrea

En el consultorio de un pueblito gallego, el doctor
atiende a un hombre que sufre de terribles diarreas.
Lo revisa, le receta unos medicamentos y le pasa la
factura. El enfermo, antes de retirarse, le pregunta:
—*Doctor, ¿puedo seguir haciéndome las gárgaras mati-
nales con la diarrea?*
—¡Hombre! A mí me parece una asquerosidad, pero si a usted le gusta...

Un tipo muy, muy atrevido

Los noviecitos gallegos caminan por el puerto de La
Coruña. De pronto, les corta el paso un asaltante.
En treinta segundos los desvalija. Está a punto de
irse pero mira a la muchacha y se lo piensa mejor.
El tipo era feroz. Enorme. Le metió la punta de la
sevillana en la nariz al casi diminuto gallego y le di-
jo:
—*Ahora voy a trazar un círculo en el suelo a tu alrede-*

dor. *Si tú pisas esa raya, te frío. ¿Has entendido so idiota?*

—Per-per-perfectamente —dijo el galleguito.

El asaltante agarró un trozo de carbón y trazó un círculo alrededor del gallego. Se llevó a la muchacha a un rincón y la desnudó. Después de violarla tres veces, con lentitud, desapareció del lugar.

Desencajada, llorosa, la galleguita regresó junto a su novio.

—*¡Cobarde! ¡Mira lo que ha pasado! ¡Eres un cobarde! ¿Por qué no has intervenido?*

—¡Calla, mujer! !Ni te imaginas lo que le he hecho a ese hijo de puta! ¡Ni te lo imaginas!

—*¿Hacer? ¿Qué le has hecho?*

— Cuando no me miraba, *¡le pisé la raya!*

A cada uno lo suyo

Pasaba un gallego arrastrando un gatito atado a una cuerda. Otro gallego preguntó:

—*¡Oye! ¿A dónde vas con ese cerdo?*

—Oiga, que no es un cerdo, es un gatito.

—*No, si yo le preguntaba al gatito.*

Con luz o sin luz

El cliente, en el prostíbulo, le dice a la puta gallega:

—*Quizás prefieras follar a oscuras...*

—A os curas, a os militares, a os políticos, a os paisanos: a todo o que veña con diñeiro...

Los puños apretados

El gallego estaba apoyado en la baranda del puente. Doblado sobre él mismo. Con los puños apretados, pegados al pecho. Lloraba. No podía parar de llorar.
Un tipo se le acercó:
—*¿Qué le sucede, señor? ¿Puedo ayudarlo en algo?*
—Me temo que no. Mi esposa me sorprendió esta noche follando con su mejor amiga.
—*¡Coño! Si me llega a pasar eso a mí, mi esposa es capaz de arrancarme las pelotas a mordiscos.*
—¿Y qué cree que llevo aquí en los puños?

Justo entre las piernas

El galleguito abre la puerta del baño y encuentra a su madre desnuda, a punto de ducharse. La mira detenidamente entre las piernas, señala el felpudillo y le pregunta:
—*Oye, ¿qué tienes ahí entre las piernas? ¿Qué es eso?*
—Esto es... es... esto es... ¡un hachazo!
—*¿Un hachazo? Pues,¡¡joder!,te lo han dado en el mismísimo coño...*

Unos polvos de la leche

Manolita, la mucama, con la caja de leche en polvo en una mano y la lechera en la otra, pregunta:
—*Discúlpeme,señorita, pero ¿cuánto polvo hay que echar para obtener un litro de leche?*
La patrona, absorta en el teleteatro, le contestó:
—¡Uuuuufff!

Gallego toquetón

El gallego había entrado por primera vez a la casa de su novia. Cuando la familia los dejó solos en el salón, el gallego le dijo a la muchacha:
—*María ¿me dejas que te toque la amapola?*
—¿¿¿Quéééé??? ¿Cómo dices, Manolo?
—Que si me dejas que te toque la amapola...
Mimoseando un poco, María finalmente accedió:
—Si te empeñas... pero ¡sólo una vez que está mi familia en el otro cuarto!
Manolo se sentó al piano y cantó:
—*¡Amapooooolaaaa, lindísima amapooolaaaa!*

Servicio meteorológico

Manolo le cuenta su aventura amorosa a Pepe:
—*En la discoteca conocí a una mujer que me invitó a beber unos tragos a su casa.*
—¡Hombre! ¡Vaya ligue!
—*Aguarda, aguarda... Apenas llegamos a la casa, se des-*

nudó. *Corrió a la cocina, regresó con una cacerola llena de agua, y mientras arrojaba agua aquí y allá, gritaba: "¡Es la lluvia, es la lluvia!".*

—¡Joder!

—*Aguarda, aguarda. Luego, siempre desnuda como su madre la parió, apareció con un bombo que metía un ruido infernal mientras gritaba: "¡Son los truenos, son los truenos!". Luego comenzó a encender y a apagar la luz mientras gritaba: "Son los relámpagos, son los relámpagos!". Enchufó luego el ventilador y arrojándome aire a la cara gritaba: "¡Es la tempestad, es la gran tempestad!".*

—Pero esa mujer estaba completamente loca. ¿Por qué no te marchaste?

—*¿Con ese tiempo?*

¿Dónde está el piloto?

Se organiza una excursión conjunta entre italianos y gallegos que visitan París. Los suben a todos en uno de esos ómnibus de dos pisos con vista panorámica. Los italianos van abajo y *los gallegos en el piso superior.*

Comienza el recorrido por París. Los italianos son pura alegría. Bullangueros, van cantando y haciendo bromas mientras disfrutan al máximo de sus vacaciones.

Después de una hora de paseo, los italianos advierten que no han oído en ningún momento a los gallegos.

Para ver qué sucede, sube la escalerilla uno de los tanos. Cuando llega al piso superior, encuentra a los gallegos desorbitados, agarrados con alma y vida a los pasamanos, temblorosos, sudando, aterrorizados.
—*Pero ¿qué les pasa? Ustedes aquí, muertos de terror y nosotros allá abajo divirtiéndonos como locos...*
—¡Hombre, claro! ¡Es que vosotros tenéis chofer!

Pasión por el peligro

—¿A dónde vas Pepe?
—*A comprarle un collar a mi mujer.*
—Pues yo saco a la mía sin nada y no se me escapa.

Negrísimo porvenir

El galleguito le pregunta a su padre:
—*Papá, ¿Africa está muy lejos?*
—No creo hijo. En la fábrica trabaja un negrito y llega todos los días en bicicleta.

Anoten la receta

—¿Por qué cocinas con el fuego apagado, Carmiña?
—Porque estoy preparando unos plato fríos, ¡coño!

Zapatos de cocodrilo

Paco y Pepe querían poner un negocio de zapatos de cocodrilo y viajaron al Africa para recorrer El Nilo desde su nacimiento hasta el Delta para cazar cocodrilos.
Durante la travesía sacaron cocodrilos a granel.
Cuando ya estaban por llegar al mar, Pepe dijo:
—*Bueno Paco, saquemos un par más, pero si éstos tampoco traen zapatos, nos volvemos de inmediato a Lugo.*

Tu madre es una santa...

Manolito le pregunta a su padre:
—*Papá, papá, ¿por qué te casaste con mamá?*
—¡Por tu culpa, hijo de puta, por tu culpa!

El culo al revés

Jugaba el Sevilla por primera vez con Maradona en La Coruña.
Se produjo la primera falta y los gallegos tuvieron que armar la barrera. Iba a patear Maradona.
Los cinco gallegos armaron la barrera de espaldas a Maradona y mirando su propio arco. El entrenador les gritó:
—*Pero ¿qué hacéis, coño? Armad la barrera de espaldas al arco.*
—Ah sí... ¡Y nos perdemos el gol de Maradona!

¡Qué Genio!

A un gallego se le aparece El Genio de la Lámpara, que le dice:
—*Hoy estás de suerte. Pídeme cualquier deseo y te lo concederé.*
—¿De verdad?
—*¡Pues sí!* —le contesta el genio algo irritado porque el gallego no le cree.
—¿No me engañas?
—*Que no te engaño, coño, ¡pide ya ese deseo!*
—¿Me lo juras por tu madre?
—*Por mi madre. ¡Venga ya, joder! Pide ya porque el tiempo se te acaba y comienzo a cabrearme.*
—Bueno, bueno. Yo deseo, yo deseo... Es que me da un poco de vergüenza.
—*Qué, ¿lo pides o no lo pides?*
—Lo pido. Quiero que la polla me llegue hasta el suelo.
—*¡¡¡Concedido!!!*
Y ¡flush!, le cortó las piernas hasta las caderas.

Bomberos invasores

—¡No te imaginas, Antonio, lo que fue el incendio en el Club del Centro Gallego! ¡Unas llamas de más de quince metros! ¡Allí ardió todo!
—*¿Y los bomberos no fueron?*
—Sí que fueron. Pero no los dejamos entrar...
—*¿Por qué?*
—¡Hombre, pues porque *no eran socios*!

Tres sin sacar

El viejito gallego consulta a su médico.

—*Doctor, no llego al tercero. Con el primero no tengo problema. Al segundo llego bien. Pero al tercero no llego.*

—Dígame: ¿cuántos años tiene usted?

—*Pues voy para los 92.*

—¡Pero hombre! ¡Tiene usted 92 años! Ya es un milagro que llegue al segundo y quiere llegar al tercero.

—*Es que yo vivo en el tercero, doctor.*

¡Enfermo de odio!

El gallego entra al consultorio del médico y comienza a gritar:

—*Odio a todo el mundo. Odio a mi mujer, y a mi suegra y a mi suegro. Odio a mis sobrinos y odio a mis amigos. Odio a mis enemigos y odio al presidente y odio a todos los ministros y, para terminar, lo odio a usted.*

El médico, atónito, le dice:

—Está bien, hombre, está bien. Pero me gustaría saber por qué me cuenta todo esto precisamente a mí.

—*Porque usted es el doctor del Odio.*

—¡Del *oído*, hombre, del *oído*!

La lógica más pura

Se encuentran dos amigos gallegos.

—*¡Hombre, Pepe! ¿Qué es de tu vida?*

—Pues me he ido a vivir a Finisterre hace dos años. ¿Conoces por allí, Paco?

—*Sí, es muy bonito. ¿Y a qué te dedicas?*
—Me dedico a la Lógica.
—*¿Y qué es la Lógica?*
—Verás: ¿A ti te gusta la Naturaleza?
—*Hombre, claro.*
—Si te gusta la Naturaleza te han de gustar los pájaros.
—*Cierto.*
—Y si te gustan los pájaros te han de gustar las playas. Y si te gustan las playas te ha de agradar ver mujeres guapas.
—*Así es...*
—Y si te gustan las mujeres te encantará follártelas. ¿Cierto?
—*¡Cierto!*
—Pues bien: ¡esto es la Lógica, Paco!
Una semana después, Paco aparece en el bar de su pueblo con un enorme libro.
—¿De qué es ese libro, Paco?
—*De Lógica. Estudio Lógica.*
—¿Y qué es la Lógica, Paco?
—*Verás: ¿a ti te gusta la Naturaleza?*
—Pues no.
—*¡Maricón!*

Peor el remedio

La Eta cometió un atentado en La Coruña. *Hubo 45 muertos.*

La policía gallega reconstruyó el: hecho. *Otros 45 muertos.*

Tarjeta

Los gallegos creen que *Fornicar* es una tarjeta de crédito.

Para vivir un gran amor

—Anda, José, echémonos un polvo tú y yo.
—*Nooo...*
—¡Anda, hombre, hagamos el amor!
—*¡Que no!*
—Pero ¿por qué si todas las parejas lo hacen?
—*Puede ser, pero en dos guardaespaldas no está muy bien visto, Manuel.*

¿Cómo andamio?

Jesús Quinteiro llega al velorio. El muerto era un albañil que se había matado al caer de un andamio. Jesús se acerca a la esposa del difunto y le dice:
—*La acompaño en el sentimiento señora. Yo era un compañero de su marido... y sus últimas palabras fueron para mí.*
—¡Oh, pobrecillo! ¿Y cuáles fueron sus últimas palabras?

—¡Quédate quieto, so bestia! ¡No muevas el andamio, animal, que nos vamos a mataaaar!

¿Usted la mastica?

El gallego recorre Sudamérica. En Bolivia, se acerca a un colla y le pregunta:
—Disculpe, ¿es usted boliviano?
—Sí, señor.
—¿Y qué está masticando?
—¿Qué va a ser? ¡Coca!
—Y dígame: ¿la chapita no le hace doler?

Arriba las manos

Banco de La Coruña. Se abre violentamente la puerta. Entra un gallego con un pequeño gatito entre las manos. Corre hacia el cajero y grita:
—Esto es un asalto. Todos quietos o aprieto el gatillo.

¡Qué caballo!

—¿Tú qué deporte practicas, Manolo?
—El water-polo.
—¿Y se te han ahogado ya muchos caballos?

¡Ay, me abrumas!

Manolo y Maruxa hacen el amor.
—¡Ay, Manoliño, me abrumas!

—¡Maruxiña, qué cosas más bonitas me dices!
—¡No digas tonterías, Manolo! Lo que te pregunto es si me "abru más".

Un coño descomunal

—Quiero advertirte, Manolo, antes de que nos casemos, que mi coño es bastante grande.
—¿Qué quiere decir "bastante grande"?
—Echale un vistazo tú mismo y verás. Para que no haya reclamos luego.
Se colocó la mujer en la posición adecuada. Se inclinó el gallego Manolo para observar y dijo:
—¡Coño, coño, coño, coño, coño, coño!
—¡Bueno, hombre que tampoco es tan grande como para que te pongas así!
—¿Así cómo? ¡Yo dije coño sólo una vez!

Un coño muy especial

Congreso de ginecólogos en Ginebra.
Habla el representante español:
—Señores, quiero exponer en este congreso, el caso de una muchacha joven que he examinado, cerca de la ciudad de Pontevedra, donde ejerzo. Esta muchacha, de unos dieciséis años, tiene el coño como una sandía.
Algunos oyentes ajustaron sus auriculares. Otros se movieron en sus asientos, algunos sonrieron y los más, abrieron desmesuradamente los ojos. El repre-

sentante francés consiguió rehacerse de la sorpresa y preguntó:

—Cuando dice que esta muchacha tiene el coño como una sandía... ¿A qué se refiere exactamente? ¿Al tamaño o a la forma?

—*No, no. Al sabor.*

¡No me toquen!

Un argentino, gran conocedor de la ineficacia de algunos médicos gallegos, como sufría de epilepsia, circulaba por Galicia con este cartelito colgado al cuello:

"Esto es un ataque de epilepsia. ¡Atención! ¡No confundirse! Del apéndice ya fui operado cinco veces."

El cuerpo del delito

Paco Mauriño tenía un bar en Vigo que *no destacaba* por su higiene. A Paco, esto lo tenía completamente sin cuidado. Una tarde, llegaron dos forasteros que pidieron un par de cervezas. Uno de los clientes, después de observar el local, le recomendó:

—Por favor, buen hombre, ¡que el vaso esté *bien limpio*!

Paco se fue a servir las cervezas. Las puso en la bandeja. Se acercó a la mesa y, de puro bruto, preguntó, mientras servía:

—*¿Quién la pidió con el vaso bien limpio?*

Locademia del aire

—¿Escuchaste la noticia? En todas las torres de control de los aeropuertos gallegos van a poner una iglesia.
—*¿Ah, sí? ¿Y para qué?*
—Para *confirmar* los vuelos.

Mucho vino

Entra el gallego súper borracho al almacén y pregunta:
—*¿Venden vino de a veinte litros?*
—Desde luego. ¿Trajo el envase?
—*Con él está usted hablando.*

Bajo el agua

—*Dime Pepiño., ¿Por qué son mudos los peces?*
—¡Tú sí que preguntas tonterías, María! ¿Por qué son mudos los peces? A ver... ¡prueba a hablar con la boca llena de agua!

Mercedes

Cuando los reyes de España visitaron México, la nutrida colonia española les ofreció un banquete. Al ingresar al salón repleto de sus compatriotas, el rey preguntó:

—¿*Cómo están vuestras mercedes?*
Los dos mil gallegos contestaron casi a coro:
—¡Muy bien, pero los repuestos están cada vez más caros!

Conteste por favor:

¿Cuál es para un gallego, la mejor forma de desarmar a una suegra en una discusión?
Pues, huesito por huesito.

Reflexión gallega:

Si el *sexo oral* es tan bueno. ¿Por qué no intentamos el *escrito*?

Ven que te jodo

En la puerta de un almacén gallego podía leerse:
"No vaya a que lo engañen en otra parte. Entre aquí".

La bañera en el techo

—Oye, Pepe: ¿por qué los coches de policía de tu pueblo llevan una bañera encima del techo?
—¡*Hombre está clarísimo! Para poder llevar la sirena.*

¿Cómo se escribe arcén?

Después de un accidente automovilístico, dos policías toman nota de los destrozos.

—*Anota, Manuel: encontramos el brazo junto al árbol, una pierna en la carretera, dos dedos sobre la hierba, la cabeza en el arcén...*

—¿Cómo se escribe arcén, Pedro? ¿Con hache o sin hache?

Pedro piensa unos segundos. Luego patea la cabeza y dice:

—*La cabeza en la carretera...*

Chiche chiche bombón

—*Buenas tardes. Sírvame usted un cafelito y un cruasán.*

—¡Tomatelás, gallego!

—*Estos argentinos son unos cabronazos. Este tío me jode por mi pronunciación. Pero voy a fregarlo.*

Practicó el gallego pronunciación porteña hasta hartarse. Entonces, regresó. Se apoyó en el mostrador y dijo:

—*A ver, che, usted: un cafeshito y un cruashán.*

—¡Tomatelás, gallego de mierda!

El gallego salió puteando nuevamente. Decidido a que lo respetasen, consultó a un profesor de fonética:

—A ver, repítame cómo pidió el café.

—*Dije: "A ver, che usted... un cafeshito y un cruashán".*

—Bueno, veo que tenemos mucho que trabajar. La palabra cafeshito no estuvo mal. Pero tenga en cuenta que no se dice "che usted" y aquí al cruasán se le dice medialuna.

—*Mediasluna*...

—No. Mediasluna, no. Me-dia-lu-na. Bueno, mire, para hacerla corta: si usted quiere, yo me comprometo a que en dos meses hable como un perfecto porteño. Eso sí: va a tener que venir todos los días, cuatro horas. Pero cuando entre y pida su café, no habrá Dios que pueda reconocerlo por el acento.

El gallego aceptó todo: precio, cantidad de horas. Disciplinadamente, acudió a *todas las clases*. Sin embargo, *no tardó dos meses sino siete*. Pero al cabo de ese tiempo comprobó que el esfuerzo había valido la pena: Hablaba un porteño espectacular. Ni el *Polaco Goyeneche* hubiese podido sospechar que se trataba de un gallego.

Por consejo de su profesor, completó el aprendizaje comprando ropa de porteño: se vistió de arriba a abajo en *Chemea, Angelo Paolo y González. Se dejó la barba. Se puso anteojos oscuros, se cortó el pelo, fue a la cama solar, frecuentó un gimnasio y rebajó 17 kilos.*

Estaba verdaderamente irreconocible. Segurísimo de sí mismo, se acodó en el mostrador de mármol y le dijo al mismo tipo que lo había maltratado casi un año antes:

—*¿Qué acelga, pibe? ¿Cómo te baila? A ver... servíme un cafeshito chiche chiche bombón, nunca taxi. Que* *salga con una de panadería. Dale, boludo,que me rajo al laburo.*

—¡Tomatelás, gallego pelotudo y no rompás más los huevos!

El gallego palideció. Luego se puso rojo de ira. Pensó que había desperdiciado casi un año de su vida y un montón de dinero para que no lo humillaran pero *acababan de humillarlo nuevamente.* Verde de dolor, sollozó. De rodillas, rogó:

—*¡Sí, soy gallego! Pero ¿cómo carajo te has dado cuenta, coño? Dímelo por lo que más quieras. ¿Por qué me has descubierto?*

—Porque esto es *un banco,* gallego... *un banco.*

Pidamos un gran rescate

Un comando de liberación gallego secuestró a toda una familia de empresarios multimillonarios. Como los secuestraron a todos *no tuvieron a quién pedirle el rescate.*

¿Qué honda?

El gallego se metió en un templo y en ese momento el rabino relataba cómo David mató a Goliat con una honda...

Al oír aquello, el gallego comentó en voz alta:

—*Ya decía yo que con una de esas motos habría un accidente cualquier día de éstos.*

Vacas enterradas

¿Para qué los gallegos entierran a las vacas?
Para sacar leche cultivada.

La tele tonta

—*Niño, vete de aquí. No estorbes. Vete a ver la tele, an-da.*
—Pero madre, es que no hay luz.
—*Pues levanta la persiana, hijo.*

Adivinanza
—¿Cuándo es el Día del Gallego?
—*No sé.*
—El día menos pensado.

Bigotes
—*¿Por qué los gallegos no quieren usar bigotes?*
—Ni idea.
—*Para no parecerse a sus madres.*

¿Yo qué te hice?

Un gallego la pregunta a un madrileño:
—*¿Por qué los madrileños nos odian tanto a los galle-gos?*
—Si me desatas, te lo digo.

¡Último momento!

Se ha realizado un *trasplante de ano* a un gallego. Pero surgieron complicaciones: *el ano lo rechazó.*

Primero pateo yo

Un alemán y un gallego salen de caza. De pronto, ambos disparan a un pato. El animal, cae.
Los dos dicen que el pato les corresponde.
La discusión dura horas. Finalmente, el gallego dice:
—*Hagamos una cosa. Por turno, uno le da una patada al otro en los huevos. El que consigue aguantar más, se lleva el pato.*
—¡De acuerdo!
—*Primero pateo yo* —dice el gallego—. *Ya verás qué patadón recibirás, teutón de los cojones.*
El alemán, disciplinado, deja la escopeta a un lado y abre las piernas. El gallego toma carrera, se prepara con saña y le encaja un terrible patadón en las pelotas al alemán.
Pasan unos segundos. El alemán se pone verde, después amarillo y finalmente rojo, pero ni un ínfimo quejido sale de su boca. Respira muy hondo, recobra la respiración y dice:
—Ahora pateo yo. Abre las piernas, Manolo.
Y Manolo encojiéndose de hombros, dice:
—*¡Vamos, hombre!* ¿*Por un pato de mierda nos vamos a pelear?*

Se los desentierran

—¿Para qué desentierran los gallegos todos los árboles?
—No sé.
—Para buscar la raíz cuadrada.

Instrumento de precisión

José, el almacenero, llama al cadete.
—¡A ver niño! ¿Dónde está mi lápiz? Seguramente tú me lo has quitado como siempre, y yo lo busco y nunca lo puedo encontrar porque eres un desastre, chico. A ver... ¿dónde está mi lápiz?
—Lo tiene usted en la oreja, don José.
—¡Vamos, vamos que no tengo tiempo que perder! ¿En qué oreja?

La bicicleta gallega

Van dos ciclistas gallegos en un tándem. Meta pedalear. Hasta que se enfrentan a una enorme cuesta. Los diez primeros metros va todo bien. Los veinte siguientes son difíciles, los cuarenta siguientes dificilísimos, los treinta finales insoportables. Llegan a la cima sudados, deshechos.
El de adelante dice:
—¡Vaya cuesta más empinada! ¡Creí que nunca llegaríamos a la cima!

—¡Si lo sabré! Si no se me ocurre frenar en cuanto se puso empinado, seguro que nos hubiéramos ido para atrás.

Propuesta decente

—Bueno, Manuel: ya sabes que mañana estás invitado a comer a casa.
—*A propósito, Antonio. Tienes que darme las señas* (dirección) *de tu casa.*
—Anota: calle del Pez 23. Es una casa blanca, con un jardín delante. La encontrarás rápidamente. Cuando llegues, toca el timbre con la nariz. Cuando escuches el zumbido del portero eléctrico, abres con la espalda y entras.
—*¿Y por qué con la nariz y la espalda?*
—¡Hombre! ¡No pensarás venir con las manos vacías!, ¿no?

No es un avión...

Un *aladeltista* acierta a pasar sobre unos campos en los que cazan Manolo y Pepe.
Apenas lo ve, Manolo, le dispara.
—*¿Qué bicho es ése al que acabas de dispararle, Manolo?*
—La verdad es que no sé de qué bicharraco se trata, pero al humano que llevaba agarrado, lo ha soltado, Pepe.

Izquierdas y derechas

Durante la misa, entra una mina espectacular a la iglesia. El cura, un gallego fortachón, le echa el ojo apenas la ve. La mujer lleva un pantalón ajustadísimo y una remera escotadíííisima. Cuando llega el momento de la comunión, la joven se arrodilla ante el cura.

—*Lo siento, hija, pero no puedo darte la comunión así vestida.*

—Pero padre ¡yo tengo *el derecho divino!*

—*Y el izquierdo, también. Pero estás casi en pelotas, y así no puedo.*

Bolssssita

El gallego Aristóbulo García García era un millonario gallego tan pero tan bruto, que *no jugaba a la Bolsa* porque creía que eso era *cosa de mujeres y mariquitas.*

Cruza juguetona

—*¿Qué sale si cogen un gallego y una pecosa?*

—No sé.

—*Un dado.*

57

Cultura ciega

—¿Qué es un perro guía Manolo?
—*¡Coño! Nada más sencillo: es un perro que se sabe todos los teléfonos de memoria.*

Me quedo más tranquilo

Pregunta el gallego:
—*¿Quién anda allí?*
—Nadie.
—*¡Menos mal!*

¡Así cualquiera!

Unos turistas se interesan por el viejo campesino gallego que tomaba sol en la puerta de su casa.
—*Tiene unas bonitas tierras, aquí.*
—Sí, pero no crece nada.
—*¿Cómo que no crece nada? Si planta tomates seguro que le crecen.*
—¡Ah, bueno, plantando, claro!

POLITICA GALLEGA

¡Se va a acabar! ¡Se va a acabar!

En el año 2030, después de incontables cambios en la Constitución, terminó el mandato de *Carlos Me-*

nem y asumió la presidencia un gallego nacido en *El Ferrol* (artículo 29 bis de la novena enmienda, llamada *enmienda Bauzá*, que permitía a los gallegos nacidos en Galicia, ser presidentes de la Argentina).

Lo primero que hizo el gallego presidente fue viajar a los Estados Unidos para negociar la deuda externa.

Al bajar del *Tango Feroz 1* (así se llamaba el avión presidencial en el 2030) un enorme charco de agua cortó el paso del primer mandatario.

El diputado Toma, secretario y mucamo del presidente gallego, se acercó presuroso y le dijo:

—Señor, *súbase los pantalones* para que no se le mojen.

El gallego hizo rápidamente lo que le había pedido su secretario.

Apenas terminó de pasar el charco, Toma le indicó:

—Y ahora, señor, *bájese los pantalones* que ahí viene el presidente norteamericano.

El gallego palideció y dijo:

—¡Carajo! ¿¿¿Tanto debemos???

A su regreso de Estados Unidos, el Gallego presidente salió al balcón del Shopping Alto Palermo (sede de la Casa de Gobierno en el 2030) y pronunció un histórico discurso:

—*¡Compañeiriños! ¡Acabo de regresar de los Estados Unidos donde he renegociado la deuda externa!*

La multitud lo aclamaba:

—*¡Borombom bom bom, borom bom bom*
es el gallego Pepe Pe rón*!*

Los bombos resonaban en la avenida Santa Fe:

—*¡Si Evita, viviera,*
sería la gaitera!*

Todos entonaban la marchita:

¡...Y como siempre haremos
un enorme papelón Pepe Pe rón
Pepe Pe rón!

El gallego trató de calmar a la multitud para hacer su anuncio. Alguien se desmayó en la esquina de coronel Díaz. El gallego, atento, pidió:

—*¡A ver, un portero a mi izquierda!*

Los muchachos estallaron:

—*¡Se va a acabar, se va a acabar*
que haya un gallego, en cada bar!

Insistió el gallego:

—*Vengo de renegociar la deuda y tengo una noticia bue-*
na y otra mala. La buena es que, gracias a mis astutas
negociaciones, y a los consejos de mis asesores, el inge-
niero Alsogaray y el doctor Cavallo, ¡¡¡ya no debemos
ni un dólar a los Estados Unidos!!!

Delirio en el Shopping:

—*¡Ya van a ver, ya van a ver*
cómo se vive, sin deber!

Prosiguió el gallego:

—*Y ahora la noticia mala: ¡tenemos 24 horas para desa-*
lojar el país!

Amistades peligrosas

—¿Sabés por qué los gallegos despedazan a sus amigos?
—*No.*
—Para hacer buenas migas con ellos.

Nunca digas adiós

—¿Sabés por qué los gallegos van con sus esposas a todos lados?
—*No. ¿Por qué?*
—Porque son tan feas que no se atreven a darles el beso de despedida.

¿Dónde estarán?

Un contingente de 1.200 turistas gallegos viajó a París.
La agencia de viajes les preparó una recepción descomunal. Querían que ese contingente fuese su mejor propaganda para atraer a otros españoles.
Los alojaron con todo lujo y les prepararon un *tour* espectacular por la ciudad.
Pero no tuvieron suerte. El primer día, cerca del anochecer, los coordinadores del grupo comenzaron a desesperarse: *los gallegos no aparecían*. Dejaron pasar una hora y dieron *aviso a la policía*. Los gendarmes franceses organizaron una batida por toda la ciudad. *Los 1.200 gallegos no aparecían.*

A las 3 de la mañana, decidieron dar aviso al consulado español en París. Los diplomáticos se unieron en la búsqueda de sus 1.200 compatriotas. *Nada.*

A las 5 de la mañana avisaron a Interpol. *Nada.*

A las 7 de la mañana, se organizó un operativo combinado de todas las fuerzas policiales y el Ejército. *Nada.*

A las 7.30, se inició la búsqueda desde el aire. *Nada.*

A las 8 en punto, el encargado de la limpieza de la Torre Eiffel abrió el ascensor de la Torre y allí encontró a los 1.200 gallegos, todos agarrados de las manos, apretaditos, con cara de susto y diciendo casi a coro:

—*¡¡¡Nos hemos perdidu!!!*

G-9: Hundido

—*Hay un modo infalible para hundir un submarino gallego.*

—¿Cuál es?

—*Cuando está a cien metros de profundidad, se golpea la escotilla del submarino y el capitán abre para preguntar "¿Quién es?".*

Bolsones

Era un gallego tan bruto que lo convencieron para que invirtiera todo su dinero en una *fábrica de bolsones de pobreza en Biafra*.

¡Hay que ponerse!

Era una gallega tan pero tan bruta que después de 23 años se retiró de la *prostitución* al descubrir que *las demás cobraban*.

Forraje

Un gallego se mete en el granero y comienza a tirarse, desde lo alto, encima del forraje. Lo hace una y otra vez. Cada vez con mayor violencia. Sube y se arroja contra el forraje más y más violentamente. Hasta que entra otro peón y le pregunta:
—*¿Y tú qué coño haces?*
—¿Qué no lo ves? ¡Me estoy matando a pajas!

Chistoso

Un tipo hace dedo en una ruta apartada y lo levanta un camionero gallego.
El gallego maneja pero no abre la boca. Va mudo, pero de tanto en tanto *se ríe solo*.
—*Disculpe, pero ¿de qué se ríe?*
—De los chistes que me voy contando.
Al rato, se ríe otra vez. Cincuenta kilómetros más adelante, otra vez. Cien kilómetros más adelante, se ríe otra vez. Dos horas más tarde, el chofer empieza a reírse de tal modo que el camión empieza a hacer "eses". El gallego ríe como loco, el camión se bambolea. El gallego no puede parar de reírse.

El tipo que había echo dedo, manotea el freno de mano y logra detener el camión en la cuneta, aterrorizado:

—*¿Y ahora por qué carajo se ríe de ese modo?*

—¡Ja, ja, ja! ¡Ji, ji, ji! Es que, ¡jo, jo, jo! es que... es que me he contado un chiste que no me sabía. ¡Ja, ja, ja!

¡Qué ganas de joder!

El viejito gallego va al médico.

—*Doctorciño, verá usted, me duelen mucho los huevos.*

—Muy bien. Vamos a ver...

El médico comenzó una minuciosa revisación de los testículos del paciente. Palpa, toca, aprieta, vuelve a palpar. Después de veinte minutos de inspección, pregunta:

—¿Está seguro de que le hacen daño? Porque a decir verdad, yo no les veo nada extraño.

—*No, doctorciño, no me hacen nada de daño.*

El médico, extrañadísimo preguntó entonces:

—¿Y para qué ha venido?

—*Pues verá: como estaba yo muy solo en mi casa, me dije: vamos a ver si encontramos a alguien que nos toque un rato los cojones. Y aquí me tiene usted...*

Un gallego vivísimo

Revólver en mano, dos asaltantes le cortan el paso al gallego Riveiro que acaba de cerrar el almacén.

—¡*Largá la guita, gallego, o te hacemos boleta!*
—¡Dejadme en paz! No llevo nada de dinero, ¡os lo juro!
—*Largá la guita gallego que esto no es joda.*
—Ya os dije que no llevo nada.
Uno de los tipos voltea al gallego de un culatazo. El otro empieza a patearlo. La patada más suave le pone al gallego los huevos en la nuca. Cuando Riveiro ya está casi desmayado, uno de los asaltantes le mete la mano en el bolsillo del pantalón y saca la billetera con veinte pesos.
—¡*Si será pelotudo este gallego! Por veinte pesos casi se deja matar. ¡Qué gallego pelotudo!*
El insulto avivó la furia del gallego quien desde el suelo y con voz destemplada, dijo:
—¿Pelotudo yo? ¡Ja! ¿Y los veinte mil dólares que llevo escondido en los calzoncillos?

Bebitos, chinos y habanos

Se organiza el primer vuelo a Marte integrado por tripulantes de varios países: *un americano, un francés y un español.*
Como el viaje duraría tres años, le dijeron a cada tripulante que podía elegir qué llevar para no aburrirse durante tanto tiempo.
El americano, un neoyorquino muy culto, *pide textos para aprender el chino.*
El francés, un parisino muy atlético, *pide ir con su mujer.*

El español, un gallego de Orense, *pide embarcarse con mil cajas de habanos de la mejor calidad para hartarse de fumar.*

Pasan exactamente tres años y un día y la nave regresa de Marte.

El primero en bajar es el americano que saluda y habla *perfectamente en chino.*

Luego baja el francés con su mujer y *dos bebitos hermosos.*

Finalmente, baja el gallego que dice:

—¡¿*Dónde mierda dejé el encendedor?!*

Satánico doctor No

Estaba el gallego en el casino de Montecarlo. A su lado jugaba un tipo muy apuesto, de impecable smoking y sonrisa irónica que era el centro de la atención de todos en la mesa. Educadísimo, el tipo del smoking se presentó al gallego:

—*Bond, James Bond.*

El gallego, para no ser menos, hizo lo mismo:

—Nolo, Ma nolo.

¿Se la hacemos al mono?

Las cosas no iban demasiado bien en la cama entre Rosa y Paco.

Una tarde, fueron al zoológico. Al llegar ante la jaula del gorila, Paco le dijo a su mujer:

—*Anda, Rosa, muéstrale una teta al gorila.*
—Pero ¿qué dices, Paco?
—*Anda... tú muéstrale.*
La mujer obedeció. El gorila empezó a excitarse.
—*Ahora enséñale la otra.*
—¡Pero Paco!
—*¡Venga, mujer! ¡Tú enséñale la otra teta!*
La mujer obedeció nuevamente. El gorila empezó a
patear los barrotes, excitadísimo.
—*Y ahora muéstrale el coño, Rosa. ¡Muéstrale el coño!*
—Pero...
—*¡Muéstrale el coño, te digo!*
La mujer se subió las faldas y el gorila destrozó los
barrotes, rugió, pataleó, se golpeó el pecho y se lan-
zó sobre Rosa. En menos de un segundo la atrapó y
la puso boca abajo.
—¡Paco, por Dios, Paco, que esta bestia me viola!...
¡Por favor, Paco!
—*Anda, dile ahora a éste como me dices a mí que ahora
no quieres porque te duele la cabeza. ¡Anda mujer, con-
véncelo!*

¡Orgía de sangre!

El Drácula gallego llega a su casa a la medianoche.
Tiene la boca ensangrentada. Lo recibe su mujer.
—*¡No sabes el banquetazo que me he dado!*
—Ya lo veo. Vienes chorreando sangre. Seguro que
te has echado al cuello de la primera que pasó y la
chupaste hasta el delirio...

—¡Que no, mujer! ¡Que ha sido un banquetazo: me he dado de morros con la banqueta!

Gallego recargable

—Muleiro, ¿cuál es su nombre de pila?
—*Alcalina.*

Se cagó a patadas

—Han encontrado al panadero Manuel con veinte puñaladas, doce garrotazos en la cabeza y doscientos balazos.
—*¿Tiene alguna pista la policía?*
—Sospechan que se trata de un suicidio.

Sigmund Fraude

Dos arqueólogos gallegos descubrieron un *cuantioso fraude.* Ahora discuten *a qué museo venderlo.*

¡Pffffff, Pfffffff!

En España existe un famoso desodorante que se llama *8x4.*

Un gallego entra a la farmacia y pide un desodorante. El dependiente le pregunta:
—¿8 x 4?
—Treinta y dos... Y ahora ¿me podría dar un desodorante?

El amor no es más fuerte

—Carmiña: quiero que nos separemos.
—Pero ¿qué dices, Manolo?
—Que quiero que nos separemos, mujer.
—Pero ¿tú estás loco, Manolo? ¿Sabes cuánto tiempo llevamos casados?
—Sí, mujer: veintiocho años y once meses.
—¿Te das cuenta?
—Sí... me quiero separar.
—Pero vamos a ver, Manolo: ¿quién te cuidó a ti cuando bebiste aquel vino en malas condiciones?
—Tú.
—¿Quién estuvo a tu lado cuando te quedaste sin un centavo porque fracasó la tienda que compraste?
—Tú.
—¿Quién te llevó cada día comida a la cárcel cuando te pillaron por evasión de impuestos?
—Tú, mujer, tú.
—¿Y quién te cuidó cuando se te infectó la herida en la operación de apendicitis durante más de un año de internación?
—Tú, Carmiña. Tú.
—¿Y quién estuvo contigo cuando aquel auto te pa-

só por encima de las piernas y tuviste que estar en terapia intensiva once meses?

—*Tú.*

—¿Y quién te cuidó cuando tuviste el infarto hace dos años?

—*Tú.*

—Entonces, ¿me puedes decir por qué coño quieres separarte de mí, Manolo?

—*¡Porque me traes mala suerte, Carmiña, por eso!*

¡Siempre la misma comida!

Llega la hora del almuerzo en la obra en construcción. El obrero gallego saca el paquete con su bocadillo (sandwich) y empieza a putear:

—*¡Seguro que el bocadillo es otra vez de tortilla! ¡Seguro!*

Un compañero que lo ve deprimido ante el bocadillo sin abrir, le dice:

—Anda, Manuel, no te pongas así. Quizás hoy es de atún o de jamón o de queso. ¿Por qué no lo abres y lo compruebas?

—*No. ¡Seguro que es de tortilla como todos los días y no lo quiero! ¡No lo quiero de tortilla!*

—Pero Manuel, llevas una semana sin almorzar. ¡Abrelo y pruébalo!

—*¡Pero hombre! ¿Tú te crees que yo no sé de qué me preparo los bocadillos?*

70

Velas que todo es mentira

El almacenero gallego recibe un paquete de velas mal empacadas. Cuando aparece el vendedor de velas, le dice:

—*Llévate estas velas que están defectuosas.*

—*¿Qué tienen, don José?*

—*¡Hombre, que no hay quien las encienda! Tienen todas la mecha para abajo.*

Pipí cucú

—Acúsome padre de haber fornicado siete veces con Sharon Stone cuando estuvo aquí en España. Y luego hicimos un montón de cochinadas.

—*No te puedo absolver de ese pecado, hijo.*

—*¿Por qué padre?*

—*Porque me imagino que no estarás arrepentido, ¿no?*

Usted es gallego, ¿verdad?

—*¿Me da usted una oveja si acierto cuántos borregos tiene su rebaño?*

—Vale.

—*Tiene exactamente 345.*

—Acertó. Puede agarrar la oveja. Ahora bien: ¿me la devuelve si le digo de dónde es usted?

—*Sí.*

—Usted es de Galicia. Gallego.
—¿Cómo lo ha sabido?
—Porque ha agarrado el perro.

Entretenimiento raro

En el acuario. Una gallega le pregunta a otra:
—¿Qué haces?
—Observo los peces.
—¿Y por qué los observas?

¿Algo que declarar?

—¿De dónde vienes? —le pregunta un gallego a su amigo.
—Del médico. Me ha quitado el vino, el whisky, el tabaco.
—¡Pero hombre! ¿Tú vienes del médico o de la Aduana?

¡Terremoto! ¡Terremoto!

Estaban a punto de fusilar a un argentino, a un italiano y a un español.
Justo cuando están apuntando, el argentino grita:
—¡Terremoto! ¡Terremoto!
Los soldados se desbandan y el argentino huye por el bosque.
Le toca al italiano. Justo cuando están por disparar, el tano grita:
—¡Inundación! ¡Inundación!

Los soldados huyen y el tano escapa.
Le toca el turno al gallego. Lo ponen contra el paredón, los soldados apuntan y el gallego grita:
—¡*Fuego! ¡Fuego!*

Hay que aprender a pelar

En España se llama *"pelas"* a las pesetas.
Estaba el gallego comiendo unas naranjas cuando se le acercó un ladrón por detrás y lo amenazó con una pistola:
—¡*Las pelas!*
El gallego, que no había visto el arma, le contestó muy suelto de cuerpo:
—¡Hombre, claro que las pelo, no las voy a comer con cáscara!

La tenía muy cortita

El vuelo 302 de Galaican Airlines se disponía a aterrizar en el aeropuerto de Madrid.
—¡*Aquí vuelo 302 de Galaican pide pista para descender!*
—Aquí Torre de Control. Vuelo 302, tiene permiso para aterrizar en pista 9. Descienda con cuidado, el final de la pista se encuentra en reparaciones.
—¡*Venga ya, tío!* —contesta el comandante gallego—.

¡A un piloto de experiencia como yo! ¡Mira si me voy a atemorizar por unos metros de menos!

El gallego comenzó a descender. Maniobró con gran seguridad y casi de memoria. Cuando estaban a menos de 2 metros del suelo, todos los tripulantes gritaron:

—*¡¡¡Pero sí que está cortííísima!!!*

Desesperados, desconectaron todos los aparatos a su alcance, subieron flaps, bajaron flaps, tiraron de los mandos. Empapados en traspiración, apretaron los pedales con todas sus fuerzas. El tren de aterrizaje se quebró.

Finalmente, consiguieron frenar el aparato en el último milímetro dentro de la pista.

Tomando aire y secándose el sudor, el comandante levantó la vista y dijo:

—*¡Joder macho, qué corta la pista!*

Aún más sorprendido, el copiloto miró a ambos costados y dijo:

—*¡¡¡Y qué aaaancha!!!*

El más cabezadura

Cruzaba el gallego la vía del tren. Tuvo tanta mala suerte, que una pierna se le quedó enganchada entre dos rieles. Justamente en ese momento apareció el tren. El maquinista comenzó a pitar desesperadamente.

—*¡Piiiii! ¡Piiiii! ¡Piiii!*

Y el gallego dijo:

—*¡Pita, pita, que como no te apartes tú!*

74

¡No quiero ir al cole!

—*Madre, ¡no quiero ir al colegio! ¡No quiero ir al colegio!*
—Hijo mío. Debes ir por varias razones. La primera es porque tienes la obligación. La segunda es porque tienes 43 años. Y la tercera: *¡eres el director del colegio, Paco, por Dios!*

Estás despedido

El patrón llama a su mayordomo gallego:
—*Bautista, voy a despedirte. Me has traído un gemelo plateado y otro dorado. Están desparejos.*
—Sí, señor. Es que al otro par que he visto le pasa lo mismo.

Yo te cagué la vida

Pepe García y *Paco García* habían formado parte de una empresa de construcción, como socios, durante casi toda la vida. Eran *García & García Construcciones.*
Pepe García estaba en la cabecera del lecho de muerte de su socio. Paco, moribundo, antes de morir, tuvo un gesto de arrepentimiento:
—*Quiero decirte, Pepe, algo que he guardado durante años. He de hacerte una confesión muy terrible. En los últimos doce años sustraje más de dos millones de dólares de la caja. Vendí los planos secretos de nuestros arquitec-*

tos en tres millones más. Finalmente, he de decirte que aquellas cartas que recibió tu esposa y que causaron tu divorcio, las envié yo.

Pepe apoyó su mano sobre la mano de su amigo y le dijo:

—No te preocupes, viejo amigo. Todo eso no tiene la menor importancia. Puedes morir tranquilo. Quiero, a la vez, hacerte una confesión: *el que te envenenó fui yo.*

Errarum gallegum est

El gallego Redondo era verdaderamente bruto.
Cuando se murió la esposa de su jefe le mandó una esquela en la que quería decir:

—*La pérdida de su mujer me tiene postrado.*

Pero como jamás puso un acento en su vida, escribió:

—*La perdida de su mujer me tiene postrado.*

El acento le costó el puesto.

Estacionamiento peligroso

El gallego Rodríguez tenía un bar en la Avenida de Mayo. Estaba harto de pagar estacionamiento o de que la grúa se llevase su auto cada dos por tres.
Un día, se le ocurrió una idea que supuso genial. Se fue hasta el Playón de la *Casa de Gobierno* y estacionó allí su auto.

Mi ntras cerraba con llave, un policía le indicó:

— No puede dejar el auto aquí. De ninguna manera. Está por salir el presidente.

—No se preocupe, agente. No tengo estéreo.

Casa, casassssssss

Llega el galleguito del colegio:

—¡Papá, papá! Hoy en la escuela hemos aprendido los plurales. Por ejemplo: el plural de casa, casas. Ahora pregúntame tú.

—¿El plural de mano?

—Casas.

—¿El plural de pez?

—Casas.

—¿Y el de televisión?

—Casas.

¡Igualito, igualito!

Una mujer quería tener un hijo igualito, igualito a Julio Iglesias. Recurrió a un banco de semen.

—¿Usted quiere tener un hijo igualito igualito a Julio Iglesias? Nosotros le garantizamos el esperma. Lo tendrá igualito, igualito.

Nueve meses después, mediante inseminación artificial, la mujer tuvo un bebé idéntico a Julio Iglesias. Era tan parecido que estaba todo el tiempo con la palma de la mano derecha junto al corazón y parecía sostener un micrófono con la izquierda.

Cuando el bebé cumplió un año, la semejanza era aterradora. Tenía entradas muy pronunciadas en la frente, vivía rodeado por tres o cuatro bebitas rubias, muy monas, y tenía seis o siete bebés guardaespaldas que lo acompañaban a todas partes.

La mamá del bebé igualito a *Julio Iglesias* quiso, a cualquier precio, conocer al donante del semen. Estaba convencidísima de que se trataba del mismísimo Julio Iglesias. Sólo de ese modo podía lograrse un parecido tan impresionante.

Las autoridades del banco de semen se negaron a dar el nombre. Pero tanto insistió la mujer que, excepcionalmente y por única vez, accedieron.

La mujer llamó por teléfono al donante y se citaron en un bar. La sorpresa de la mujer fue monumental: *El hombre era muy, muy pequeño de estatura, cejijunto, con el pelo como pinchos, ojos pequeños y acuosos. Tenía una nariz descomunal y le faltaban nueve dientes. Era, en resumen, un petisito horripilante.*

Lo único que tenía en común con Julio Iglesias era el lugar de nacimiento: ambos eran gallegos. Por lo demás, no tenían ni una uña de parecido.

—*No lo puedo creer. Debe ser un error, señor. Usted no puede ser el donante. El niño es idéntico a Julio Iglesias y...*
—Tranquilícese, señora. Yo soy el donante y hay una explicación muy lógica. Le diré por qué el bebé es idéntico a *Julio Iglesias*. Verá usted: en casa somos doce. Once mujeres y yo. Mis seis hijas adoran a *Julio Iglesias*, tienen todos sus discos. Mi suegra es fa-

nática de *Julio Iglesias*: ha empapelado la casa con posters de *Julio Iglesias*. Mi hermana es la presidenta del club de admiradoras de *Julio Iglesias*: en casa se reúnen diariamente docenas de admiradoras de *Julio Iglesias*. Mi madre ama a *Julio Iglesias* con devoción. La mucama se escapó un verano con una extensión de mi tarjeta de crédito para seguir a *Julio Iglesias* en gira por América. Y mi esposa repite día y noche desde que nos casamos hace 17 años: *"¡Si al menos fueras como Julio Iglesias! ¡Si al menos fueras como Julio Iglesias!."* En definitiva, señora, el bebé es igualito igualito a Julio Iglesias porque *¡¡¡tengo los huevos llenos de Julio Iglesias!!!*

Yo sé tocar la bocina

El gallego dobló en una esquina y no atropelló a un transeúnte por milímetros. El policía detuvo al gallego y le dijo:

—¡Casi mata a ese hombre! ¿No sabe tocar bocina?

—Siempre la misma discriminación con nosotros los gallegos. ¡Cómo no voy a saber tocar la bocina, hombre! ¡Claro que sé tocar la bocina! ¡Nada más fácil! ¡Pi, pi, pi y ya está, coño! *¡Lo que no sé es conducir!*

Alta estrategia militar

El pelotón de soldados gallegos tiene como misión inutilizar la estación de trenes más cercana. Para ello les han dado apenas siete minutos.

A los cinco minutos y medio regresa el pelotón y se presenta ante el capitán. Grita el sargento:

—*¡La estación ha sido inutilizada, mi capitán!*

—*¡Ah, muy bien! ¿Cómo habéis hecho?*

—*¡Hemos comprado todos los pasajes que había en la boletería de modo que ya nadie podrá tomar allí el tren, capitán!*

¡Cállate, imbécil!

El peluquero gallego era un plomazo. De modo que el cliente, que ya lo conocía bastante, le dijo:

—*Aféiteme, por favor. Pero quiero decirle que ya sé que hace buen tiempo, que no me importa que haya ganado el deportivo La Coruña, que ya sé que mis cabellos son cada vez más escasos y que me importa un pimiento saber qué número tiene más probabilidades de salir el sábado. Así que ya puede afeitarme.*

—De acuerdo. Pero, en lo posible, le pido que no hable tanto porque no me deja trabajar —le contestó el gallego.

¿Cómo se lo doy?

El gallego va por primera vez al banco a cobrar un cheque.

Cuando lo llaman a la ventanilla para pagarle, el empleado le pregunta:

—*¿Cómo quiere que le dé el dinero?*

El gallego piensa un rato y finalmente dice:

—A ver qué le parece: yo alargo la mano y usted me lo pone en ella. ¿Vale?

Futuro político

—A ver, Manolito, hijo, ven aquí: ¿cuánto es 45 por 56?

—*¡Ocho!*

—¡Anda! Pues ¡muy bien, hijo! ¡Muy bien!

—*¿Sí? Pues lo he dicho a bulto.*

Un perfecto gallina

—¡Camarero!

—*Diga, don Pepe.*

—Mozo, ¿no podría freírme un poco más el pollo? Se me está comiendo la ensalada.

Pezones muy largos

Paquita fue al sauna. Mientras se desnudaba, otra socia del club alcanzó a verle los pezones: eran largos, larguísimos.

Medían más de veinte centímetros cada uno.

—*¡Pero mujer! ¿Qué son esos pezones tan largos?*

—Pues mi esposo, el Manoliño, que tiene sus costumbres.

—*¿Qué costumbres?*

—Todas las noches, antes de dormirse me chupa los pezones durante un buen rato.

—*¡Pero mujer! Mi marido también me chupa los pezones casi todas las noches pero yo no los tengo de veinte centímetros. Los míos son normales.*

—¡Ah, será porque ustedes no duermen en camas separadas como nosotros!

Esto es un cornudo

—¡Me has jodido, Manuel! Anoche, regresé a casa y te vi follándote a mi esposa a través de las cortinas. Luego, al oír que yo entraba, huiste y yo le di una paliza de aquéllas a mi mujer.

—*Pero,¿qué dices, Pepe? Si yo anoche estaba en Zaragoza con mi mujer y mis hijos en casa de mi madre.*

—¿No eras tú? ¡Ay, joder! ¡Entonces, le pegué a esa pobre santa por nada!

Una pareja perfecta

En la casa de los Loreiro hubo una explosión monumental. Por un escape de gas, reventó todo. Loreiro y su esposa salieron despedidos por una ventana, mientras dormían.

Media hora después, cuando los médicos consiguieron que la mujer recobrase el conocimiento, le preguntaron cómo se sentía.

La Paca, mientras se arreglaba el pelo chamuscado, dijo:

—*Estoy contenta. Es la primera vez en veinte años que mi Manolo y yo salimos de casa juntos y por la noche.*

Cuatro metros

El gallego tenía un pene descomunal. Salió del agua, en la playa, arrastrando por la arena cuatro metros de miembro fláccido.

Bajo las carpas y sombrillas hubo expectación, carcajadas y murmullos. Todos los dedos señalaban al portento.

—*¿Qué pasa?* —desafió a la multitud el gallego—. *¿Es que a ustedes no se les arruga cuando se bañan?*

¡Cabronazo!

El enano Paco fue a la peluquería. El enano Paco era un gallego más burro que un monolito. Estaba sentado en un taburete sobre el sillón. Navaja en mano, el peluquero le preguntó:

—*¿No quiere que le corte las patillas?*

—¡Cabronazo! Si me cortas las *patillas* ¿con qué voy a caminar? ¿Con los *cojoncillos*?

No me dan los números

Ramón era un fenómeno de la Naturaleza. Tenía tres huevos. Esta anomalía le había hecho subir los humos a la cabeza. Solía presentarse como el Gallego de los Huevos de Oro. En realidad, estaba un poco transtornado con sus tres huevos.

Una tarde, prepotentemente, se sentó frente a un desconocido en el bar y le dijo:

—*Le apuesto mil pesetas a que entre usted y yo tenemos cinco huevos.*

El otro gallego, sin inmutarse, le contestó:

—¿Qué pasa? ¿Es que usted *sólo tiene uno*?

Dos diarios y más también

—Pues aquí como me veis, tengo setenta y cinco años y ¡dos diarios!

—¡*Anda ya!*

—Dos diarios y ¡tres los domingos!

—¿*Cómo lo haces?*

—Dos diarios: *Clarín* y *La Nación*. Los domingos además *Página 12*..

Zona de riesgo

Eran veintidós hermanitos gallegos. Tenían entre 2 y 15 años. Iban todos al mismo colegio, desde preescolar hasta cuarto año. Todos muy bien vestiditos, peinados, acicalados. Pertenecían a una familia muy humilde de campesinos.

Siempre los veía pasar rumbo al colegio, una señora muy adinerada y curiosa. Un día les preguntó:

—¿*Sois todos hermanos?*

—Sí, señora. Para servir a Dios y a usted.

—*Veo que estáis muy bien educados, aseados y primorosos.*

—Nuestra madre nos cuida primorosamente a los veintidós.

—*Imagino que tendréis a vuestra madre en un pedestal.*

—Pues no, señora.

—¿*Cómo que no?*

—Pues no. La tenemos encerrada en un armario para que no la alcance nuestro padre.

Dame un piquito, muchacha

Dionisio estaba enamorado de Asunción. El era campesino. Ella vivía en el pueblo vecino.

Asunción era una gallega muy alta y rubia.

El Dioni era un gallego muy petiso y morrudo.

Asunción medía exactamente cincuenta centímetros más que Dioni.

Una noche, después que Asunción había estado de visita en el pueblo de Dioni, le pidió a éste que la acompañara hasta su casa.

Dionisio agarró un enorme bolso y la acompañó.

Caminaron bajo las estrellas. Cuando habían recorrido siete kilómetros, el Dioni pidió:

—*Anda, Asunción. Dame un besito.*

—Está bien.

El Dioni bajó el bolso, se subió a él y alcanzó exactamente la boca de la muchacha. Se dieron un piquito y siguieron el camino.

Veinte kilómetros más adelante, el Dioni insistió:

—*Anda, mujer, dame otro piquito.*

—No, Dioni. Ya te he dado todo lo que tenía para darte por esta noche.

—*¡Joder, mujer, haberlo dicho antes y hubiese dejado el bolso!*

El Dioni abrió el bolso, sacó el yunque de cincuenta centímetros de alto que había cargado hasta allí, lo arrojó a un lado de la cuneta y siguió acompañando a la muchacha.

¿Pensaste en tu madre?

Un galleguito entra a robar en una zapatería. Lo pescan. El policía que se lo lleva, va maldiciendo.

—*¡Estos, chavales, coño! No tiene ni diez años y se roba una zapatería. Todo para echarse en los pies unas zapatillas como las de la tele. ¡Joder con la juventud! Pero dime, niño: ¿es que no pensaste en tu madre?*

—Claro que pensé en mi madre. Pero no había su número.

Ritmo de la noche

Manuel despierta a su mujer en medio de la noche.

—*¿Qué sucede?* —pregunta ella mientras bosteza y se frota los ojos.

—Te traje dos aspirinas y un vaso de agua.
—*¿Para qué?*
—¡Para tu dolor de cabeza, Carmiña!
—*Pero si no me duele la cabeza.*
—Bien. Follemos.

Bolas azules

Una semana después de casarse, Manolita y Pepe visitaron al médico.

—No puedo explicármelo, doctor, pero tengo los huevos azules —dijo Pepe mientras depositaba sus cojones sobre la camilla.

—*¡Hummm! Veamos.*

Después de examinar detenidamente los huevos de Pepe, el médico le preguntó a la mujer:

—*Dígame, señora: ¿está usando el diafragma que le recomendé?*

—Sí, doctor.

—*¿Y la jalea que le di?*

—La que usted me dio, no doctor. La cambié por una de moras que al Pepino le gusta mucho más.

Jugate conmigo

Tres gallegos requeteborrachos llegan a una casa y empiezan a tocar el timbre, a golpear la puerta y a gritar como marranos. Hasta que por fin en el balcón aparece Carmen, una gallega doble pechuga, que grita:

—*¿Qué es lo que pasa allí abajo?*

Uno de los borrachos pregunta:

—¿Vive aquí Francisco Rodríguez?

—*Aquí vive.*

—¿Podría entonces bajar usted para ver cuál de nosotros es Rodríguez, señora?

Mía, es mía, mía, mía

—¿Quién inventó el alambre?

—*No sé.*

—Dos gallegos peleándose por una moneda.

Dios te va a castigar

El gallego caminaba por las cercanías de la catedral de Santiago de Compostela, en andrajos. Estaba sin empleo. Hacía más de cuatro días que no comía. Acababan de decirle que había muerto su madre en un accidente y que su ex esposa tenía sida.

El gallego puteaba en estéreo:

—*¡Cabrones, hijos de puta, me cago en todos vuestros muertos!*

Un cura que pasaba, con mucha unción, le dijo:

—No hables así, hijo mío. Dios te va a castigar.

—*¿Castigarme? ¡Como no me deje embarazado!*

El cielo se equivocó

Lo mandaron al gallego Muleiro a pintar mil pancartas para una campaña pero hubo que tirarlas todas.

El gallego escribió:"*El cura no tiene sida* en lugar de "*El sida no tiene cura*".

Esto es un borracho

El gallego estaba borrachísimo. Tirado en una vereda. Pasó un policía y el gallego le preguntó:
—*¿Dónde estoy, oficial?*
—La Gran Vía, casi esquina Fuencarral.
—*No, no, no importa la calle. Simplemente, dígame en qué ciudad estamos.*

Pida lo que quiera

—*¡Pero mozo! ¡Vea este pollo! ¡Sólo piel y huesos!*
El gallego lo miró de arriba abajo y respondió:
—*¿El señor querría también las plumas?*
¡Mi marido, huyamos!

La pareja de gallegos está en la cama. De pronto, suena el timbre:
—*¡Mi marido! ¡Mi marido! ¡Tírate por la ventana! ¡De prisa!*
Sin dudarlo, el tipo se arroja desde el segundo piso.

Al rato, maltrecho, regresa al dormitorio:

—¡Estúpida! ¡Zopenca! ¡Gilipollas! *¡Yo soy tu marido!*

Me voy a pegar un tiro

Entra el gallego al dormitorio y encuentra a su mujer con un tipo.

—*¡Desgraciada! ¡Mala mujer!*

El gallego abre un armario y saca un revólver.

—¿Qué vas a hacer Manuel? —grita desesperada la mujer.

—*Primero voy a matarte y después me voy a pegar un tiro.*

Allí interviene el amante:

—Pero hombre, ¿cómo va a hacer usted eso?

Entonces dice Manuel, muy decidido:

—*Y usted se calla, porque después de pegarme el tiro lo mato por hijo de puta.*

No se le ofrece nada

Entra el gallego al sex-shop. Se le acerca un vendedor.

—*¿Se le ofrece algo, señor?*

—Pero bueno... ¿tú crees que si se me *"ofreciese"* algo iba yo a venir aquí a buscar estas porquerías?

¡Crashh!

En un avión viajaban un americano, un francés y un gallego. De pronto, el avión se incendia y los tres tienen que saltar sin paracaídas. El americano, muy resuelto, salta y mientras cae, implora.

—*¡Oh, my God!: haz que caiga flotando.*

Se lanza el francés y pide:

—*¡Mon Dieu, haz que caiga sentado!*

El francés cae sentado y sin un rasguño.

Entonces salta el gallego que dice:

—*¡Diosico... diosico!*

Y Dios le hizo caso: cayó *de hocico* nomás y se destrozó la jeta.

Vaya y mátelos

Manuel llama por teléfono.

—*¿Está la señora, María?*

—Sí, señor, pero está ocupada.

—*¿Ocupada? Vaya a ver qué está haciendo.*

Al minuto regresa María al teléfono:

—Está en el dormitorio con un hombre.

—*¡¡¡¿¿¿Cómo???!!! María, te vas al escritorio y coges la pistola. Ve por ella.*

María vuelve al teléfono al ratito:

—Ya la tengo, señor.

—*Te vas al dormitorio y descargas la pistola sobre ellos. ¿Has entendido?*

María cumple. Se escuchan los seis tiros.

—Ya está señor. Los dos muertos. ¿Qué hago ahora?

Tengo mucho miedo.
—*No temas. Sales por la ventana y...*
—¿Cómo por la ventana? ¡Estamos en un octavo piso, señor!
—*¿Octavo piso? ¡Ay, disculpe: número equivocado!*

¿Quién se jode?

Al ver dos perros apareados, el galleguito le pregunta a su mamá:
—*¿Qué le pasa a esos perros?*
—Que algún malvado les ha puesto pegamento.
—*Pobrecitos, ¡con lo que debe fastidiar que te hagan una cosa así cuando estás follando!*

¡Hay gente tan lenta!

—¿Cuándo vas a entender que lo nuestro se ha acabado, María?
—*Cuando me la saques, Manolo, cuando me la saques.*

En la cama pasa de todo...

La gallega despierta al esposo en medio de la noche:
—Manolo, *había olvidado decirte que esta noche tampoco tengo ganas.*
—¿Y para qué me despiertas, mujer?
—*No, como a veces insistes...*

¿Dónde queda eso?

—La Paca y yo nos fuimos a Málaga de vacaciones...
—*¡Joder! ¡Málaga! ¿Y por dónde queda eso?*
—Pues no lo sé porque hemos ido en avión.

Todo allí colgado

La cosecha ha sido malísima durante un par de años. Los animales han muerto por una epidemia. Los gallegos están pasando mucho hambre por esos días.
Una noche, el galleguito ve a su padre desnudo y le pregunta:
—¿Qué es eso que tienes colgando entre las piernas, padre?
—*Estos son los cojones, hijo mío.*
—Pero ¿cómo le dices eso al niño, Manuel?
—*¿Y qué quieres, mujer? Con el hambre que tiene, si le digo que son los huevos, me los come a mordiscos.*

¡Qué pensará de mí!

Carmencita y José Antonio terminan de hacer el amor. Ella dice:
—*Espero que después de esto, José Antonio, no irás a decirle a todo el mundo que soy una chica fácil.*
—¿Fácil? ¡Pero si ni siquiera te sacaste las bragas!

¿Qué carajo le ven?

Dos gallegos chismorrean en el prostíbulo, mientras esperan que los atiendan.

—*No sé por qué el vejete ése tiene tanta suerte con las tías. Todas se lo disputan. Es rengo, contrahecho, pobre y casi jorobado...*

—Sí. Y está ahí sentado toda la noche sin hablar. Sólo *lamiéndose las cejas, lamiéndose las cejas, lamiéndose...*

Lléneme esto

La galleguita llena un formulario para pedir un empleo:
Nombre: *Rosa Gómez Gómez*
Edad: *20 años*
Nacionalidad: *Española*
Sexo: *Una vez, en el 600 de Paco.*

Deseo desenfrenado

El gallego llevaba años en una isla desierta. Un día observa casi en el horizonte algo que flota. Se echa al agua y rescata a una bellísima mujer que se había salvado de un naufragio agarrada a un barril.
Con gran esfuerzo, el gallego consigue arrastrar a la mujer y al barril hasta la orilla.
Una vez repuestos, la mujer, que era bellísima, dice:

—*En agradecimiento por haberme salvado, le voy a dar algo que usted no ha probado en años...*
—¡¡¡No me diga que en el barril hay cerveza!!!

No le entra en la boca

La gallega llama al médico por teléfono y le pregunta:
—*Doctor: ¿es posible cambiar los supositorios que le recetó a mi marido por gotas?*
—¿*Por qué señora?*
—*Porque son muy desagradables. Los supositorios se le pegan en los dientes.*

Murió haciendo señas

Llega el gallego a la Morgue:
—*Busco a un amigo mío que se ahogó ayer.*
—¿*Puede darme alguna seña particular de su amigo para identificarlo?*
—*Sí: era sordomudo.*

Una cultura desierta

—¿Saben por qué los alumnos gallegos de las escuelas nocturnas tienen arañazos alrededor de la boca cuando vuelven a clase los lunes?
—No.
—Porque se pasan todo el domingo practicando cómo comer con cuchillo y tenedor.

Test para gallegos

—*Dígame Muleiro: si le cortase los dedos ¿qué le pasaría?*
—Que me quedaría completamente ciego, doctor.
—*¡¿Ciego?!*
—¡Claro! ¿Con qué me pondría los lentes de contacto?

¡Ay Jesús!

La escena en un miserable establo. Hay un recién nacido, un asno, un buey. En el pesebre, un joven carpintero que se acerca a su mujer y le dice:
—*¡Pero María, mujer! ¿Por qué lloras de este modo?*
—¡Ay, José! ¡Me hubiese gustado tanto que fuese una niña!

Todos juntos es mejor

El gallego explicaba a un madrileño:
—Para que entiendas cómo somos los gallegos de tolerantes y comprensivos voy a contarte que en mi pueblo había una iglesia metodista y una iglesia bautista. Los gallegos somos tan tolerantes que hicimos soplar vientos de unidad y se han unido.
—*¿Entonces ahora no hay más que una?*
—¡No, hombre! Ahora hay tres: la Iglesia Unida y las otras dos.

Hay que arrancarlo

El gallego nuevo rico compraba de todo. Aunque no supiera muy bien para qué podía servirle ni cómo tenía que usar lo que compraba. Un día se compró un *Mercedes 220* y, para arrancarlo, *lo enchufó.*

Los argentinos se quejan

—No sé qué hacer, gallego. Ronco como una bestia. Ronco tan fuerte que me despierto yo mismo.
—*¡Pero hombre! ¡Ay, estos argentinos siempre quejándose! Eso que te pasa a ti tiene fácil solución. ¿Te despiertas porque roncas fuerte? Pues ¡te vas a dormir a otra habitación y asunto arreglado!*

Duro de matar

—¡Mozo! Este bife ni siquiera es de vaca. ¡Es de caballo! ¡Y encima está durísimo!
—*Es que el caballo se nos ha acabado* —contestó el gallego—. *Esto ya es el carro.*

Duro de flotar

Dos gallegos junto a una fuente, en la plaza de su pueblo.
—*¿Por qué has echado tu reloj al agua?*
—Para ver si nada.

—*¿Le has dado cuerda?*
—No.
—*Pues entonces ¿cómo quieres que nade?*

Una vida súper ejemplar

Le decía el gallego al cura:
—*Mi vida es todo un ejemplo, padre. Nunca bebo alcohol. Nunca salgo. No hago el amor con ninguna mujer. Es más: ni las miro. Por la noche, a las 8, ya estoy en la cama y cada domingo voy a misa...*
—Sí, hijo mío. Pero ten en cuenta que todo esto va a cambiar cuando *te concedan la libertad...*

¿Por qué carajo?

—A ver, gallego, decíme: ¿por qué carajo todos los gallegos contestan siempre con una pregunta?
—*¿Y por qué no?*

¡Santísima!

—*La puta que lo parió, camión de mierda, hace dos horas que quiero arrancarlo y no puedo. ¡No arranca! ¡Hijo de la putísima madre que lo parió!*
En medio de la puteada, pasó el cura gallego y se acercó al conductor:
—Así no, hijo mío. No debes insultar. Debes ser paciente... Invoca a San Cristóbal y verás cómo arranca el camión.

—¿A San Cristóbal? ¿Y quién mierda es San Cristóbal? *¡Y bueno, ma sí! Total, peor no me va a poder ir.*
El tipo se sentó al volante y gritó:
—*¡San Cristóbal, hacé que este camión de mierda arranque!*
El camión arrancó instantáneamente.
El cura, inmóvil frente al camión, estupefacto ante lo que veía, exclamó:
—**¡La putísima madre que lo parió!** *¿Será posible?*

Ra-ra-ra-ra-cis-cis-tas

El gallego tartamudo regresa a su pueblo.
—*¿Cómo te ha ido en Madrid, Jesús?*
—**Meee...** he pre-pre-sentado a un con-con-con-cur-curso deeee locu-locu-locutores en Ra-ra-ra-dio Te-te-televisión Espa-pa-pa-pa-ñola...
—*¿Y te han aceptado, Jesús?*
—**Los ma-ma-ma-madri-madri-madrileños** son unos hijo-jo-jo-jo hijos de pu-pu-pu-pu-puta centra-tra-tra-tra centralistas. Meee han re-re-re-rechazado ppppppor ser gga-ga-gallego.

Salgo a cagar

Pepe concurre a clases de catecismo. El gallego no se adapta muy bien. En medio de la clase, dice:
—*Me estoy cagando. Voy a salir o me cago aquí mismo.*
Al terminar la clase, la monjita le dice:
—**Mira Pepe, tú no puedes decir en medio de la clase y a los gritos que te estás cagando. Es una grosería.**

Cada vez que sientas urgencias, te pones de pie y me dices: *"Hermana, tengo urgencia por lavarme las manos"*, y yo te dejaré salir. ¿De acuerdo?
Al otro día, en medio de la clase, Pepe interrumpe:
—*Hermana, tengo urgencia por lavarme las manos...*
La monja le dice que puede salir. Pepe se encamina hacia la puerta, pero a mitad de camino, dice:
—*¡Ay, me cago en la putísima madre de Dios! ¡No tengo papel!*

No va a entrar

Letrero en el buzón de la plaza mayor de un pueblo gallego:
"Prohibido introducir paquetes que no pasen por la ranura."

No va a comprar

Carta enviada al director de un diario madrileño:
"Señor, si sigue usted publicando chistes sobre la tacañería de los gallegos, dejaré de pedir prestado su periódico a mis amigos."

No va a llover

Un Alcalde mandó publicar el siguiente aviso:
"El cortejo, en traje regional, desfilará el próximo domin-

go cualquiera sea el tiempo que haga. Si llueve por la mañana, se aplazará el desfile hasta la tarde. Si llueve por la tarde, el cortejo desfilará a las 10 de la mañana."

Propuesta muy indecente

La galleguita trabajaba en la casa más rica del pueblo. Era muy bonita y a los pocos meses de estar allí quedó embarazada.

Como la chica era menor de edad, el dueño de casa mandó llamar a su madre.

—Señora —dijo el hombre—. *Yo he dejado embarazada a su hija. Como comprenderá, no puedo ofrecerle matrimonio. Pero soy un hombre de honor y he decidido disponer de una cantidad de dinero para el niño. Al nacer recibirá 500.000 pesetas. A su hija, le daré otras 500.000 pesetas y, por tantas molestias, pensé que recibiera usted 250.000 pesetas más.*

La gallega, que jamás había visto junta ni la décima parte de esa cantidad, dijo:

—¡Oh, señorito, que lo bendiga Dios y todos los santos por su generosidad y que la Virgen le dé larga vida! Ahora bien... si mi hija llegase a tener un aborto, ¿usted estaría dispuesto a darle *una segunda oportunidad*?

Se la cortaron

La nueva rica gallega hablaba con su amiga:
—*Mi marido, el Pepe, se encargó él mismo de hacerme una cirugía plástica.*

—¡¿Cómo?!
—*Me cortó la extensión de la tarjeta de crédito.*

Me marcho, Manolo...

—Tengo para ti una noticia mala y una buena, Manolo. Me marcho con tu mejor amigo.
—*¡Coño! Ahora dime la mala...*

Cada uno hace lo suyo

Jugaban Pepe y Paco al dominó.
—*¿Sabes Pepe?, ayer entré a casa y no pude creer lo que veían mis ojos. En el dormitorio estaba mi mujer jodiendo con Manolo.*
—¡Coño! ¿Y tú qué hiciste?
—*No dije una sola palabra. Me fui a la cocina, y me preparé una taza de café con leche.*
—Pe-pero ¿y Manolo?
—*Ah, no, a Manolo no. Si quería, que se lo preparase él.*

Madre no hay una sola

La vieja gallega llama a su hija por teléfono.
—*¿Cómo estás, hija?*
—Pues muy mal, madre. Verás: los niños están con fiebre, la mujer que me ayuda no ha venido a limpiar, se ha inundado el lavadero, toda la casa está

102

hecha un lío y, para colmo, esta noche vienen nueve personas a cenar.

—*No te preocupes, hija. En media hora estaré allí. Me ocuparé de los niños. En cuanto a la comida, yo me hago cargo: justamente hoy he guisado un bacalao sabrosísimo. En media hora te dejaré la casa como un espejo, hija.*

—¡Oh, madre, eres un sol! Me has salvado... Y dime: ¿cómo está papá?

—*¿Papá? Pero, hija, ¿tú estás loca? Tu padre, que en gloria esté, murió hace nueve años...*

Se produce un largo silencio...

—¿A qué número ha llamado, señora?

—*¿Es el 774-58 65?*

—No, éste es el 774-58 63.

—*¡Oh, marqué un número equivocado! Disculpe usted.*

—¡No, espere, por favor! ¿Eso quiere decir que *no piensa venir?*

No se te oye nada

El ventrílocuo gallego era tan, pero tan malo, que uno podía ver cómo movía los labios hasta cuando no decía nada.

Así cualquiera puede...

El viejo gallego (más de ochenta y cinco años), que lucía una enorme gorra roja, entró al prostíbulo como un vendaval:

—*¡Quiero follarme a todas las que haya! Aquí hay dinero suficiente.*

—Muy bien, abuelo, adelante. Ahí las tiene a todas

—dijo la encargada, irónicamente, suponiendo que el viejito caería en el primer intento.

Pero el viejito pudo con la primera, con la segunda, con todas las que había disponibles. Una por una, pudo con todas durante cinco horas. Agitando su gorra roja se despidió de las muchachas que quedaron en el salón, hechas pelota y tratando de reponerse de semejante embate.

Al rato, entró otra de las muchachas. Llegaba de la calle protestando con indignación. Casi le gritó a la encargada:

—*¡Hay que hacer algo! ¡En la calle se ve cada gente tan asquerosa!*

—¿Qué ha sucedido, mujer, que vienes tan alterada?

—*Cuando entraba, junto a la puerta, había un viejo de mierda, con una boina roja haciéndose una soberana paja. ¡En plena calle, qué asco!*

Más gallinas que putas

En la zona de Malasaña, en el corazón de Madrid, la policía hizo una redada y se llevó a todas las prostitutas.

Por pura formalidad, el inspector fue recorriendo la fila de las chicas preguntando:

—*¿Tú a qué te dedicas?*

—Yo soy azafata.

—*¿Y tú?*

—Azafata.

—*¿Y tú, la pelirroja?*

—¿Yo? Azafata, como estas dos que están a mi lado.

Finalmente, el inspector encaró a la gallega Carmiña.

—¿Y tú? ¿También eres azafata?

—No. Yo soy puta —dijo la gallega.

—*Vaya, menos mal. ¿Y qué tal marcha el negocio?*

—Una mierda... no marcha desde que hay tanta azafata haciendo la competencia.

Los pepés de Pepe

Pepe entra en la zapatería.

—*Quisiera un par de zapatos.*

—¿De qué color?

—*Los dos del mismo.*

Autopartes

—Mi tío, el gallego Pepe era un genio de la mecánica.

—*¿Por qué?*

—Consiguió armar un nuevo tipo de automóvil en su pequeño taller.

—*¿Cómo hizo?*

—Agarró dos ruedas de un Cadillac, otras dos de un Ford, una carrocería de Lancia, un motor de un Renault 21, asientos de un Duna y la dirección de un Peugeot.

—*¡Qué bárbaro! ¿Y qué obtuvo?*

—Tres años de cárcel.

¡Manos arriba, carajo!

El gallego Remigio era decididamente bruto. Un día lo asaltaron. El ladrón le gritó:
—*¡Arriba las manos!*
El gallego, nada.
—*¿Estás sordo? Arriba las manos, te dije.*
—*¿Eso es lo que te gustaría que hiciera?*
—*Claro. Quiero que levantes las manos.*
—¡Ah, sí! ¿Te crees que soy tonto? Yo levanto los brazos y tú me haces cosquillas en los sobacos... ¡No te jode!

Oportunidad laboral

—¿Has visto Manolo que en el banco de La Coruña están buscando un cajero?
—*Pero si la semana pasada tomaron a uno nuevo.*
—A *ése* precisamente están buscando.

Hay uno que no vale nada

—*¿Cuántos años tienes, Pepito?*
—Once. Bueno, no. Tengo doce, pero ¡como estuve un año enfermo!...

Disparar para disparar

Se iba a realizar la maratón que daría la vuelta a Galicia. Como la largada era en un pueblito, lla-

maron al Alcalde para que diese la orden de partida. Le entregaron el revólver y le explicaron:
—*Para que salgan los corredores, tiene que disparar un tiro con esta pistola.*
—Bien. ¿Sobre cuál de ellos?

En plena ebullición

El sargento gallego explicaba a su pelotón:
—*Recuerden, soldados, que el agua hierve a noventa grados.*
Uno de los reclutas, lo interrumpió:
—Perdone mi sargento. Pero el agua hierve a los 100 grados.
—*Tiene razón, soldado. Admito mi error. Anoten: el que hierve a noventa grados es el árgulo recto.*

Las deudas que no se pagan

—Perdóname, Paco, pero todavía me debes cien mil pesetas.
—*Te perdono, Manuel, te perdono.*

Contagió a toda la familia

El galleguito de 13 años entró al prostíbulo del pueblo y le pidió a la encargada que le consiguiese una muchacha que tuviese gonorrea o cualquier otra enfermedad venérea.

—*Casualmente tengo una chavala que acaba de pillar una gonorrea.*

El galleguito pagó y se acostó con la gonorreica.

Pasaron unos cuantos días y la encargada del prostíbulo se cruzó en la calle con el chico.

—*¿Y, chaval? ¿Cómo te ha ido?*

—Pues muy bien. Me dieron unas inyecciones de penicilina y me curé.

—*Y dime: ¿Para qué quisiste pescarte esa gonorrea?*

—Es una historia complicada. Antes de ir al médico a curarme con penicilina, le pegué la venérea a la mucama. La mucama se la pegó a mi padre. Mi padre se la pegó a mi madre.

—*¿Y tú hiciste todo esto para pegarle una enfermedad venérea a tu propia madre?*

—¡Que no soy tan bruto, mujer! A quien quiero joder es al lechero. Porque él fue el hijo de puta que me robó la bici.

El lenguaje del estómago

El dueño de una estancia cerca de Tres Arroyos, había contratado a un peón gallego. El gallego, *Pepe Villares*, era un santo inocente. Lo habían traído directamente del campo de La Coruña a los pagos de Tres Arroyos. Lo que menos sospechaba el gallego era que su patrón sabía ventriloquía. El estanciero aprovechaba sus dotes para reírse un rato de sus asalariados.

Un día llegó a la estancia dispuesto a divertirse un rato, y de paso para enterarse de lo que sucedía en su ausencia.

—*Che, Pepe... ¿Vos sabés que yo puedo hablar con los animales?*

—¡Coño, patrón! ¡Eso me gustaría verlo!

—*Y lo vas a ver... Vení, vamos a hablar con el zaino.*

Se acercaron al caballo y el estanciero le preguntó:

—*A ver, zainito, decíme, ¿cómo te trata Pepe?*

—Más o menos, patroncito. A veces me hace sudar mucho.

El gallego casi cae de culo. No podía creer lo que oía.

—*¿Qué tenés que decir, Pepe, de lo que dice el caballo de vos?*

—Que es cierto, patrón. A veces se me va la mano y lo sudo al zaino.

—*¡Ajá! Vamos a hablar ahora con la vaca. Decíme vaca, ¿cómo te trata el Pepe?*

—Bastante bien: sabe ordeñarme y todos los días llega puntualmente al tambo. Aunque a veces se olvida de darme el forraje.

—Es verdad, patrón. El otro día no le alcancé el forraje a tiempo pero fue por la tormenta. Al rato, lo remedié. Pregúntele si no es cierto.

—*¿Es cierto, vaca?*

—Es cierto.

—¿Ha visto?

En ese momento, detrás de un árbol aparece una oveja blanquita, lanudita... El estanciero se le acerca y pregunta.

—¿Y vos qué decís ovejita?

El gallego se pone blanco, y grita:

—¡No, patrón! A ésa no le crea nada. ¡Todo lo que le diga de mí son mentiras!

Gooool

Entró el gallego jugador de fútbol a la taberna. Llevaba la pierna derecha enyesada.

—¡Joder, hombre! ¿Qué te ha sucedido? ¡Mira cómo tienes esa pierna!

—Fue al patear un corner. Un gracioso me cambió la pelota por una bola de cemento.

—¡Qué bestia!

—No, si a mí me fue bien. Tendrías que haber visto cómo quedó el que cabeceó el gol.

¡Igual que tu padre, coño!

—Papá, papá... El maestro me dijo que mañana tengo que ir con una enciclopedia. Tienes que comprarme una enciclopedia.

—¡Ni enciclopedia, ni mierda! ¡Tú irás al colegio a pie como iba yo y como iba mi padre! ¡De enciclopedia, nada!

Los peluqueros son todos...

El peluquero atendía exquisitamente al gallego Muleiro.

—*¿Le parece al señor que le pongamos champú al huevo?*

—Me parece. Pero mejor empiece por la cabeza.

¡Qué enano hijo de puta!

—*Doctor, ayúdeme. Yo me hago pis en la cama. Todas las mañanas, cuando me levanto, hay un enano junto a mi cama que me ordena: "¡Mea, mea, mea!". Y yo meo toda la cama.*

—Lo suyo tiene solución: usted va y le dice al enano: "No quiero mear, no quiero mear, no quiero mear", y santo remedio.

A la semana vuelve el gallego:

—*Lo suyo no sirvió para nada, doctor. Me desperté, estaba el enano allí, lo encaré y le dije: "¡No quiero mear, no quiero mear!" Y el enano me dijo: "¿Quién habló de mear? ¡Ahora vamos a cagar!".*

Un huevo muy, muy grande

El gallego Castiñeira visita al médico:

—*Doctor, tengo un serio problema.*

—¿De qué se trata?

—*Es algo que me avergüenza mucho.*

—Tranquilo. Yo soy médico y estoy acostumbrado

a tratar todo tipo de irregularidades. Relájese y cuénteme.

—*Es que tengo un testículo más grande que el otro.*

—Enséñemelo...

—*No, doctor. Se va a reír. Todo el mundo se ríe.*

—Pero yo soy un científico serio. Adelante, muéstreme.

El gallego se abre la bragueta, saca un testículo monumental y lo deposita sobre la camilla. El médico no puede aguantar la risa.

—Discúlpeme que me ría, Castiñeira, pero ¡su huevo es descomunal! ¡Ja, ja, ja!

—*Sí, usted ría... ¡pero yo ahora no le muestro el grande!*

Cuatro contra veinte

—¡Tendrías que haber visto la pelea! Dejamos la taberna patas para arriba, Paco. Cuatro contra veinte. Luchamos. Hubo botellazos, bofetones. Hasta que los pusimos en fuga...

—*¿A los veinte?*

—A los cuatro. *Nosotros* éramos los veinte.

Como un toro

—Te noto raro, Pepiño.

—*He ido a ver a la meiga.*

—¿Para qué?

—*Le pedí que me convirtiera en un semental.*
—¿Y?
—*Dio resultado. Vaca que veo, vaca que me follo.*

Conchas que no muerden

—Es la última vez que salgo a pescar mejillones.
—*Pero, ¿por qué Manolín?*
—¡Hombre! Ni un sólo me ha picado el anzuelo.

MENU GALLEGO

Lo más pato

Un cliente llama al mozo gallego.
—*Quiero pato asado.*
—No tengo pato asado. ¿Qué le parece una porción de pollo al horno?
—*No. No quiero pollo. Quiero pato o nada.*
—De acuerdo. ¡A ver María: corta una porción de pato asado del pollo al horno!

Pavo por liebre

Otro restaurante gallego. Otro cliente que quiere pavo.
—*¡Mozo! Sírvame un sandwich de pavita.*
—No tenemos pavita, señor.
—*Entonces déme un sandwich de pollo.*

—¿Usted cree que si tuviese pollo no iba a servirle el sandwich de pavita?

Entregar el pavo

El gallego Paco llama a todas las meseras. Las reúne antes de abrir el restaurante y les dice:
—*Chavalas, esta noche os pido que estéis encantadoras. Maquillaos como nunca. Sonreíd a cada cliente. Poneos una cinta en el cabello o un adorno. Os quiero encantadoras, os quiero irresistibles. Caminad como si fuéseis modelos de la tele.*
—Pero ¿qué pasa, Paco? ¿Va a venir el rey a cenar esta noche?
—*No, el pollo está durísimo.*

Nada pavo

—¿A que no saben por qué aquél gallego amarrete no denunció que le habían robado la tarjeta de crédito?
—*No, ni idea.*
—Porque decía que el ladrón, con la tarjeta, gastaba muchísimo *menos que su esposa...*

¡No jodan, coño!

Una familia que festeja el cumpleaños de la abuela, va al restaurante de Manolo.

—Yo voy a pedir una paella —dice la madre.

—*Vea, señora* —dice el gallego Manolo—, *la paella le va a tardar 45 minutos. ¿Por qué no pide costillas de cerdo?*

—Bueno, tráigame costillitas de cerdo con puré.

—*El puré está muy seco, sería mejor que pidiese puré de manzanas que está recién hecho.*

—De acuerdo.

—Yo voy a pedir milanesas con papas fritas —dice el padre.

—*Las milanesas están demasiado duras. Pida algo especial como el guiso de cordero.*

—Guiso de cordero va a estar muy bien.

—*¿Y usted, señora?* —le pregunta Manolo a la abuela.

—Yo quiero sopa de arroz.

—*El arroz está pasado. Una buena ensalada completa para usted...*

—Ensalada completa, sí. De acuerdo.

Finalmente, el abuelo, después que termina de estudiar cuidadosamente el menú le dice al gallego Manolo.

—La verdad, no me decido por nada. ¿Qué me sugiere?

El gallego Manolo apoya ambos puños sobre la mesa y casi grita:

—*¿Qué le sugiero? ¡Tengo el restaurante completo de clientes, no doy a basto y el señor quiere que pierda tiempo en sugerencias! ¡Coño! ¡Hay cada tío!*

Fresquito

—Si quieres te llevo a tu casa en mi coche, Pedro.
—*Acepto. ¡Hace tanto calor!*
—Sí, realmente, aquí dentro uno se asa. Resulta imposible aguantar tanto calor dentro de esta cabina.
—*Perdona que te pregunte: pero si tienes tanto calor, ¿por qué no bajas las ventanillas?*
—¡Ah, no! Quiero que todos los vecinos piensen que el coche tiene aire acondicionado.

Compartir no es un placer

Los de la DGI le mandaron un cuestionario al gallego del *Bar Pepe's*. Una de las preguntas decía: "¿Comparte usted sus ganancias con alguien?". El gallego contestó: "Sí. Con ustedes".

Según pasen los años

El gallego tenía 79 años y decidió casarse con una de 18. Trataron de disuadirlo.
—*Paco, no puedes hacer eso. Piensa en el sexo. Dentro de 10 años, por ejemplo, tú tendrás 89 años y ella 28.*
—Tranquilos. Eso no importa. Veintiocho años no es ser demasiado vieja. Por otra parte, cuando ella llegue a los 28, siempre podré cambiarla por alguna más joven.

A ver, documentos...

El policía para a un gallego:
—*¡Déme usted su nombre!*
—¿Ah sí? ¿Y después cómo me llamo?

La cola para la cola

En la época del racionamiento, después de la Guerra
Civil Española, había terribles colas para conseguir
comida.
Al gallego Pepe se le ocurrió una idea para no hacer
la cola. Se paró junto a los que estaban esperando y
dijo:
—*En la tienda de enfrente reparten arroz gratis.*
La cola se desbandó inmediatamente y el gallego
quedó primero felicitándose por la estratagema. Pero
un segundo después, un pensamiento lo inquietó.
—*Pero, ¿y si fuese verdad?*
Y cruzó a ponerse en la nueva cola.

Telegrama para la señora

Había que darle la noticia a la viuda. Su marido aca-
baba de morir en Orense. Ella estaba en Madrid.
El gallego dijo:
—*Yo me hago cargo.*
Le escribió un telegrama que decía: "Su marido gra-
ve. Venga urgente: lo enterramos mañana".

Consejo al menor

El gallego millonario aconsejaba:
—*Hijo mío: gana dinero; aunque sea honradamente, pero gana dinero.*

Desempleo

Acude el gallego a la oficina de la Seguridad Social. Está en el paro (*desocupado*) y se anota para conseguir trabajo.
—*¿Hay algo para mí?*
—*¿De qué?*
—*Dejar cualquier cosa.*
—*¿Le parece bien de jardinero?*
—*¿Dejar dinero? ¿Pero está usted loco? ¡Yo vengo a que me lo den, no a dejar dinero, coño!*

¡Hay que tener mala leche!

Al sexto día, Dios creó *Galicia*, con sus montañas, sus valles, sus rías, su mar...
Y Dios preguntó a Galicia:
—*¿Qué puedo hacer por ti*
Y Galicia contestó:
—Queremos mucho vino.
—*¡Sea!* —dijo Dios.
Pasado algún tiempo, Dios atravesó Galicia.

119

—¿Estáis contentos con vuestro vino?

—Sí, nuestro vino es el mejor. ¡Pruébalo!

Dios probó el vino gallego.

—¡Estupendo, maravilloso, perfecto! ¿Alguna cosa más?

—Sí, son cincuenta pesetas por el vaso de vino.

¡Qué grande era Argentina!

Un gallego, enriquecido en *Argentina*, cuenta sus hazañas a sus amigos del pueblo:

—*Yo llegué a la Argentina en la época en que te hacías rico de la noche a la mañana, hace muchísimos años. Las oportunidades eran muchas. Cuando llegué, no tenía para comer. Entonces le pedí a un verdulero una manzana, la limpié, le saqué brillo, y justo cuando iba a comérmela pasó un señor que me la compró. Con ese dinero, compré otra manzana. La limpié, le saqué brillo y la vendí al doble de lo que la había comprado. Después, seguí comprando y vendiendo manzanas.*

—Y así hiciste tu fortuna.

—*No, aguarda. Llegó el tiempo de los duraznos y volví a pasar hambre...*

—Y entonces compraste duraznos, los limpiaste y los vendiste por el doble de su precio...

—*No, cuando volví a pasar hambre, justo se murió mi tío el Manolo y me dejó todos sus millones.*

Con tiempo, todo llega

La maestra entregó los deberes al galleguito Pepe.
—*Has cometido muchísimos errores, Pepito. ¿No hay nadie en tu casa que te pueda ayudar un poco? ¿Un hermano o una hermana a quien preguntarle?*
—No. Bueno, si hay prisa, no tengo. Pero para noviembre tendré un hermanito o una hermanita...

Prohibido fumar

En el cuartel, daban unos videos de entrenamiento e higiene. El argumento era el de siempre:
Soldado entra en prostíbulo.
Soldado elige prostituta.
Soldado deja cigarro en el cenicero y se acuesta con la prostituta. La escena se esfuma. Soldado sale de habitación de prostituta, toma el cigarro del cenicero y se marcha feliz.
En la escena siguiente, está el soldado en el hospital rodeado de médicos que tratan de curarle una peligrosa infección.
Cuando el video termina, el instructor pregunta qué aprendieron de esa película.
El gallego Martínez se pone de pie y dice:
—*No sé si mis compañeros pensarán igual que yo, pero jamás dejaré un cigarro en un cenicero sucio.*

Diez años sin...

El gallego se marcha a los Estados Unidos en busca de fortuna. Al cabo de diez años regresa a su patria convertido en millonario. Al bajar del avión busca a sus hermanos pero no los ve por ningún lado. De repente, se le acercan dos hombres de larguísima barba que le dicen:

—*Pero, Manuel, hombre, ¿no nos reconoces?*

—¿Será posible? ¿Sois vosotros? ¡Pero si cuando me fui no llevabais barba!

—*No, pero como te llevaste la maquinilla de afeitar...*

Sorda, ciega, muda...

—¿Te enteraste de que Manolo se casó con una muda?

—*Dichoso de él. Yo me casé con lo puesto.*

Deshojando lo que puede

—*Jesús González Loureiro* sí que era bestia. Para saber si su novia lo quería mucho poquito o nada, *deshojaba ventiladores de techo.*

La tengo muy limpita

Impresionado por la limpieza del restaurante, el cliente llama al galleguísimo mozo.

—*Tengo que felicitarlos. Todo está limpísimo.*

—La limpieza —le contesta Paco— es una norma estricta de la casa. El dueño es tan estricto que nos hace llevar siempre una cucharilla de plata para que toquemos la comida que servimos "sólo con la cucharilla de plata". Y ha llegado a más: en el cierre de nuestras braguetas, nos ha hecho atar un cordel para que, cuando vamos a mear, no usemos nuestros dedos.

—*Pero ¿cómo hacen para sacudirla y para meterla adentro después de mear?*

—No sé qué harán los demás. En mi caso particular, *yo uso la cucharilla de plata.*

Bailar con quien se pueda

Dos gallegos se meten en una fiesta bastante elegante.

—*Oye, vamos a bailar. Tú vete con aquella de azul. Yo voy a bailar con esta gordita vestida de morado. ¿Baila?*

—No. No bailo por tres razones. La primera es que no sé bailar. La segunda es que me cae usted muy mal y la tercera es que *no soy una gordita vestida de morado sino el Señor Obispo.*

Huyamos en lo que sea

En la guerra entre españoles y franceses, se escuchó el siguiente diálogo entre dos gallegos:

—¡Capitán, capitán, ahí vienen los franceses!

—*¡Rápido a los caballos!*

—No, capitán. ¡No hay caballos!

—*¡Rápido, a los carros!*

—No, capitán, no hay carros.

—*¡Rápido, rápido, entonces a las mulas!*

—No, capitán, no hay mulas.

—*¡Tu puta madre!*

—La suya.

—*Es igual, ¡la que más corra!*

Harlem es peligrosísimo

En un bar de mala muerte de Nueva York, se reunían los más feroces asesinos de los Estados Unidos. El gallego Manolo cayó al bar por error. Sin saber muy bien cómo, de pronto se encontró en medio de una rueda de terribles personajes que discutían a los gritos para ver quién había participado en la pelea más feroz.

Uno de ellos, como de dos metros de altura, de pronto se abrió la camisa y mostró una cicatriz que le recorría todo el pecho:

—*Kansas City, 1989.*

Otro, un negro tuerto, se abrió la camisa y mostró tres cicatrices monumentales que le recorrían el estómago de lado a lado.

—*New York City, 1990.*

El negro fue empujado por un rubio que tenía todos los dientes de aluminio. El rubio se arrancó la camiseta y exhibió una cicatriz de setenta centímetros que empezaba en el esternón y terminaba en la columna vertebral.

—*Junction City, 1992.*

Los tres brutales asesinos se volvieron entonces hacia el gallego que los miraba aterrado aunque no tanto como para no comprender que si no hacía algo de inmediato lo pasarían a degüello. Entonces, el gallego se levantó la remera, sacó un poquito de panza y con un hilito de voz, dijo:

—*Apendi citis, 1973.*

Chapa y puesta a punto

—¡Tendrías que haberme visto, Pepe! Mi novia me pidió que bajase la capota para besarnos. Tendrías que haberme visto, Pepe: ¡la bajé en cuarenta y cinco minutos y...!

—*Pero Manolo. ¡Yo tardo diez segundos en bajar la capota de mi auto!*

—Ah, claro, pero el tuyo *es descapotable...*

Arma mortal I y II

Paco llama por teléfono:

—*¿Asistencia al Suicida?*

—Sí.

—*¿Podrían venir a ayudarme que solo no puedo?*

¡Una ginebrita, por favor!

Entra un canguro gallego a un bar de la calle Corrientes.

Los mozos no pueden creerlo.

El canguro gallego se sienta a la ventana y llama:

—*¡Camarero!*

Los mozos están alelados. Ni se mueven.

—*¡Camarero, coño!*

Finalmente, uno de ellos se atreve y va a la mesa.

El canguro gallego lo saluda y hace su pedido:

—*Tráigame un cortado y una ginebra. No... mejor un cafecito y una ginebra.*

El mozo, atónito, llega al mostrador, pide el cortado y la ginebra y se la lleva al canguro gallego que está haciendo las palabras cruzadas del diario.

—*Aquí tiene... Su cafecito y su ginebra.*

—*Gracias... ¿Cuánto es?*

—*Son veintidós pesos...*

El canguro, visiblemente molesto, refunfuñando, mete la mano en la bolsa, saca treinta pesos y paga.

El mozo tiembla cuando empieza a darle el vuelto: se le caen algunas monedas.

—*Pero ¿qué le pasa que se le cae todo?*

—*Discúlpeme, ¿vio? Pero para nosotros es algo muy extraño esto que está sucediendo. Aquí jamás vienen canguros a tomar café y ginebra. Y muchísimo menos un canguro gallego. La verdad, no suelen venir muchos canguros a este lugar.*

—*¡También! ¡Con lo que cobran un café y una ginebra!*

Con la boca abierta

Sale el gallego del consultorio del dentista y le dice
a su mujer que lo está esperando:
—¡Listo, vámonos! Ya me saqué las tres muelas.
—¿Cómo tres? ¡Si sólo tenías una estropeada...!
—¡Es que el dentista no tenía cambio!

Cerca del Paraíso

—Dígame, padre Remigio, ¿no se siente solo en esta
parroquia tan retirada, en estas tierras gallegas tan
bellas pero tan solitarias?
—No, hijo mío. Tengo aquí cuanto necesito: Rosario, Bi-
blia, Oración.
—Cuánto me alegro, padre. ¡Cuán cerca de la santi-
dad!
—¿Quisieras beber algo, hijo?
—Bueno, padre.
—¡A ver, Rosario, tráete una botella y dos vasos...!

Recuerda a Pinocho

La paciente a su cirujano plástico gallego:
—Quisiera que me hiciese una nariz como la de Kim Basinger.
—No se preocupe. Con la que usted tiene podría yo
hacerle dos como la de la Basinger.

¿Dónde andará?

Oído en una radio gallega:
"Mañana el sol saldrá a las 6.50 y se pondrá a las 18.55. Lamentablemente, no podemos confirmarles qué hará durante el resto del día."

Patotero gallego

La familia de campesinos gallegos naufragaba en la miseria. El único capital que les quedaba era un pato. La madre llamó a su hijo mayor, un mozalbete de 15 años bastante apuesto, y le dijo:
—*Vete a vender el pato a donde más te den por él.*
Partió el rapaz con el pato bajo el brazo. Llegó a la ciudad y se metió en un edificio que le pareció lujoso. Abrió la puerta del ascensor, apretó cualquier botón, descendió en el piso marcado y llamó con insistencia a la primera puerta.
Al cabo de un minuto escuchó pasos precipitados y la puerta que se abría sigilosamente.
Apareció una mujer con un camisón transparente que dejaba ver que debajo sólo vestía piel y los pelos imprescindibles.
—¡Ay, qué susto me has dado jovencito! Creí que era mi marido. Pero pasa, pasa. No te quedes ahí.
—*Yo venía a venderle mi pato, señora.*
La dama del camisón transparente sentía ciertas *urgencias*, *tan urgentes* que ahí mismo metió mano a la bragueta del muchacho:

—¿El pato? Ven conmigo a la cama y allí hablaremos del pato.

La mujer metió al chico en la cama con pato y todo. Sin contemplaciones, desabotonó bragueta y camisa.

Estaba en plena maniobra cuando se escuchó un breve timbrazo seguido del "clic" metálico de una llave que penetraba en la cerradura.

—¡Me cago en la putísima madre! ¡Ahora sí es mi marido! ¡Corre, chaval, métete en ese armario!

Abrazado a su pato, el muchacho se zambulló en el fondo del armario. Cuando logró enderezarse para adoptar una postura más cómoda, palpó un bulto que le dijo:

—¡Shhh! ¡Calla, chaval, que nos jugamos el pellejo!

—*¿Quién es usted? ¿Qué hace usted aquí?*

—Lo mismo que tú muchacho. Calla o nos matan.

En la más completa oscuridad, el muchacho, el hombre y el pato dejaron pasar los minutos. El muchacho, finalmente, le propuso al hombre:

—*Oiga, le vendo el pato.*

—Calla, cabrón, que te va a oír y ése nos revienta.

—*Si no me compra usted el pato, ¡chillo!*

—¡La madre que te parió, chaval! ¿Cuánto quieres por el pato?

—*Diez mil pesetas.*

—¿Diez mil pesetas por esa mierda de pato?

—*Diez mil o grito.*

—Toma, toma. Pero verás tú cuando te agarre fuera de aquí, ¡te juro por todos mis antepasados gallegos que te acogoto!

El muchacho tomó los billetes, los contó y entregó
el pato. Guardó el dinero en el bolsillo, dejó pasar
unos segundos y dijo:

—*Le compro el pato.*

—¿Cómo dices?

—*Que le compro el pato o grito.*

El hombre tembló de furor, pero terminó preguntando entre dientes:

—¿Cuánto das?

—*Cien pesetas.*

—¡¡¡Cien pesetas!!! Te estrangulo, desgraciado.

—*Cien pesetas o grito.*

—Toma el pato, pero te mataré.

Intercambiaron nuevamente. El pato pasó de manos.
A los diez segundos, nueva oferta:

—*Le vendo el pato...*

Iban por el quinto toma y daca cuando se escuchó la
voz de la mujer que dijo:

—Ya podéis salir. Se ha vuelto a marchar mi marido.

El muchacho salió disparado del armario. Cruzó la
casa en segundos, salió a la escalera, bajó los escalo-
nes de cinco en cinco y llegó a su casa jadeante, pero
feliz:

—*Madre, he vendido el pato.*

—¿A cuánto lo has vendido?

—*A cuarenta y cinco mil pesetas. Mira... Y además tengo
aún el pato.*

La madre le pidió que le contase todo. Al enterarse
de las artimañas de su hijo, la mujer, pobre pero de-
cente, se echó a llorar desconsoladamente:

—Ahora mismo irás a la iglesia a confesarte y vas a

dejar ese dinero para los pobres. Si hemos de morir de hambre, moriremos; pero con la conciencia tranquila. ¿Has entendido, truhán?

Siguiendo las instrucciones de su piadosa madre, el joven se fue a la iglesia, se arrodilló frente al confesionario y luego de la fórmula introductora, dijo:

—*Padre, confieso que he robado.*

—¿*Cómo fue eso, hijo mío?*

—*Verá: todo empezó con un pato…*

—¡Por los cojones de todos los santos! ¿Otra vez tú y tu jodido pato de mierda?

Gran jabón

El gallego Pepín tenía fama de ser un gran roñoso. Un día ganó la lotería. Un compañero de trabajo le dijo:

—*Supongo que de ahora en adelante, cuidarás más tu aseo.*

El gallego se enojó:

—Puede ser que tú no lo notes, pero te advierto que me baño todos los días.

—¿*Ah sí? Pues entonces voy a darte un consejo: ¡cambia el agua!*

¡Baje la voz!

Un tipo entra al almacén de ramos generales del gallego Manolo y grita:

—Déme medio kilo de azúcar.

—¡No tan alto, no me grite! —dice el gallego Manolo—. ¿Con o sin filtro?

Galle-móvil

Un domingo por la tarde, a bordo de un 600, una familia de gallegos partió desde Vigo hacia Madrid.
Poco antes de llegar a la capital, los detuvo un patrullero de la Guardia Civil. Un agente se acercó al 600, pidió al que conducía que bajase el cristal de la ventanilla, saludó y dijo:
—*¡Lo felicito, hombre! Lo hemos seguido desde que salió de Vigo y no ha cometido usted ni una sola falta al reglamento de tránsito. Por esa razón ha ganado diez millones de pesetas como premio al mejor conductor del año. Para hacerle efectivo el premio, necesitaría que me facilitase usted el carnet de conducir* (el registro).
El hijo, que viajaba atrás con la abuela, atinó a decir:
—*Se lo ha olvidado en casa.*
El que conducía, replicó:
—Pero ¿qué dices, chaval? ¡Si yo no he sacado el carnet de conducir en mi puta vida!
La esposa intercedió:
—*No le haga usted caso a mi marido, agente: ¡está más borracho que una cuba!*
La abuela, que despertó en ese momento por el barullo, al ver al Guardia Civil junto al coche, se puso a gritar:
—*¡Ya os había dicho yo que en un coche robado no llegaríamos muy lejos!*

Galle-taxi

El gallego se marchaba a Madrid. Su madre, casi en el estribo del tren, le aconsejó:

—Y sobre todo, hijo, ten cuidado con los taxis. En Madrid vuelan como locos.

—*No se preocupe, Madre.*

Al llegar a Madrid, el gallego salió de la estación y tomó un taxi.

—¿A donde lo llevo?

—*Al Paseo de la Castellana.*

El taxista arrancó a considerable velocidad. Luego de esquivar a dos o tres peatones, cuatro autobuses, dos policías de tránsito y a otros cuatro taxis, el chofer preguntó:

—¿A qué altura?

El gallego que ya iba verde del susto y agarrado con las uñas al respaldo del asiento, le contestó:

—*Mira: ¡si encima comienzas a elevarte, yo vomito y hasta me cago en tu puta madre!*

Cosas de perros

Tres gallegos alardeaban de la habilidad de sus perros.

—*El mío es capaz de atrapar un pato en el aire. No hace falta que use mi escopeta.*

—¡Bah, eso no es nada! El mío atrapa a un pato en el aire y, si es necesario, dispara la escopeta.

El tercero, socarrón, dijo:

—*El mío sí es extraordinario...*

—¿Atrapa patos en el aire?
—*De ninguna manera. No podría distinguir un pato de un cerdo.*
—¿Dispara tu escopeta?
—*Tiene terror a las armas.*
—¿Entonces? ¿Qué hace?
—*Es maravilloso. Yo le digo "¡¡¡Ataque!!!" y él se muere ahí mismo de un infarto.*

¡Guauuuuuu!

—*Mi perro no tiene nariz.*
—¿No tiene nariz? ¿Y cómo huele?
—*¡Horrible! ¡Tiene un olor!*

Respire hondo

Paco y Pepe apuestan a ver quién aguanta más tiempo bajo el agua. Lo llaman a Manolo para que dé la señal de zambullirse y para controlar el tiempo.
—*Tú nos avisas cuándo meternos y empiezas a contar para ver cuántos segundos aguantamos. ¿Has entendido Manolo?*
Manolo había entendido perfectamente. Dio la señal de zambullirse y los dos amigos se echaron al agua.
Al cabo de un buen rato, Manolo continuaba:
—*... tres mil doscientos dos, tres mil doscientos tres, tres mil doscientos cuatro, tres mil doscientos cinco...*

Me lo dejó nuevito

—¿Qué tal, Manuel?

—*Aquí me ves, un poco preocupado.*

—Pero ¿por qué, gallego?

—*¡Hombre! Quiero vender mi auto, pero como tiene 250.000 kilómetros, nadie me lo quiere comprar.*

—¡Pero gallego! ¿Y por esa pavada te preocupás? Mirá: traélo a mi taller. Nosotros le *tocamos* el cuentakilómetros y te lo dejamos chiche chiche bombón.

Efectivamente, el gallego lleva el auto al taller de su amigo y cuando lo pasa a buscar, se lo han dejado en 12.000 kilómetros.

El gallego se va contentísimo. Quince días después vuelve a encontrarse con su amigo, el del taller, que le pregunta:

—¿Y...? ¿Pudiste venderlo?

—*¿Con 12.000 kilómetros como tiene ahora? Pues ¡no lo vendo ni loco!*

Con los dientes

El escalador gallego había llegado casi a la cumbre en una escalada a *Los Pirineos*. Pero con tanta mala suerte, que poco antes de llegar a la cima, cayó por un precipicio y quedó precariamente colgado de una saliente.

Tenía las manos congeladas y los tobillos quebrados, de modo que cuando le arrojaron una cuerda, sólo pudo atraparla con la boca.

El pelotón de rescate comenzó a izarlo inmediatamente. El gallego mordía la soga con fuerza. Pero de pronto, por un mal movimiento, la cuerda vibró un poco y el gallego gritó:

—¡¡No me soltééééisssss!!!

Chiquititito

El enanito gallego entra al bar de Manolo.

El enanito era muy, muy enanito. Tanto que para que lo vea Manolo, que está al otro lado de la barra, tiene que dar saltitos.

—(Salta) *Buenas* (saltito) *tardes.* (saltito) *Un café* (saltito) *con leche* (saltito) *y un trozo* (saltito) *de ese pastel* (saltito) *de fresas con cerezas* (saltito) *y chocolate.* (saltito) *Y un vaso* (saltito) *de agua* (saltito) *bien fría* (saltito) *¡por favor!*

—¿Cómo ha dicho? —pregunta Manolo.

—*¡Que te vayas* (saltito) *a la putísima* (saltito) *madre* (saltito) *que...*

Lucha de clases

Le dijo el jefe gallego al empleado:

—*No pienses en mí como jefe. Piensa que soy un amigo tuyo que siempre tiene razón.*

Médico asustado

El médico, asustadísimo, le dijo a su paciente gallego:

—*¡Tiene una piedra en el riñón!*
—Pero qué pasa hombre —dijo el gallego. Está usted pálido. ¿Es que nunca ha visto una piedra en el riñón?
—*Sí, muchas veces. Pero ninguna que diga "A la Coruña, 54 kilómetros".*

Pintoooor

—*Un pintor me hizo posar dos horas y me hizo un retrete.*
—Será un *retrato*, Paco.
—*¿Con esta cara de culo?*

Mala sangre

Llega el hombre murciélago gallego rezumando sangre por la boca. Otro hombre murciélago le pregunta:
—*¿Dónde has conseguido tanta sangre?*
El hombre murciélago gallego sale a la calle y señala:
—*¿Ves allá, a unos setenta metros, aquél buzón de hierro?*
—*Sí, perfectamente.*
—Bueno, yo NO lo vi.

Portero de día

En un rascacielos de Pontevedra se declaró un incendio. Llamas, humo.

Por una de las ventanas del tercer piso, salían grandes lenguas de fuego. Por otra ventana, una mujer con un bebé en brazos, gritaba:

—¡*Socorro! ¡Socorro! ¡Salven a mi bebito! ¡Por favor, ayuda!*

Gran arremolinamiento del público. Los bomberos no llegaban. Desesperación.

De pronto, un hombre alto, atlético, se abrió paso entre la multitud. Se plantó frente a la ventana y gritó:

—¡*Señora! Soy Romualdo, portero* (arquero) *de la selección española y del deportivo La Coruña. Arrójeme usted al niño que yo lo ataparé. ¡Yo lo paro todo, señora! Tenga confianza. Arrójelo y lo tomaré en mis brazos. No hay manera de que yo falle, señora. ¡Arrójelo!*

La multitud aplaudía y presionaba a la mujer.

—¡Es Romualdo!

—¡*Ro-mual-do!*

—¡Arrójelo señora! ¡Si él dice que lo atrapará, lo atrapará!

—*Romualdo no falla jamás. Es lo más grande que hay, señora.*

—¡Arroje al bebé!

La mujer decidió arrojar al niño. Pero la suerte no la

acompañó y la trayectoria del bebé fue desviada por unos cables.

Sin embargo, Romualdo no dudó. Aunque descolocado en un principio, se arrojó después de una breve carrera y en el último segundo atrapó al bebé. Faltaban sólo milímetros para que el chiquito tocara el suelo. ¡Una atajada fantástica!

El público deliraba.

—*¡Romualdo! ¡Romualdo!*

Romualdo, entusiasmado, por el fervor del público, *hizo picar tres veces al bebé* sobre el asfalto y lo pateó *tan lejos como pudo*.

Restaurante cinco yemas

Delicadamente, se acerca el mozo y pregunta al cliente gallego:

—*Perdone, pero ¿cómo quiere usted sus huevos?*

—Con delirio, mozo, con delirio.

Al cajón

Entra el gallego medio borracho al velorio. Se para junto al cajón y comienza a sollozar.

—*¡Ay, Miguel! ¿Por qué? ¿Por qué te has ido?*

Una viejita, también gallega, que estaba junto a la cabecera del cajón, le dice:

—No le va a contestar...

El gallego sigue:

—*¡Ay, Miguel! ¿Por qué nos abandonaste?*

—No le va a contestar.

—*Si estabas en lo mejor de tu vida. ¿Por qué nos dejas, Miguel?*

—No le va a contestar.

—*¿Y se puede saber por qué carajo me dice usted eso?*

—¡Porque se llama Antonio!

Vanidad gallega

El gallego Muleiro reunió a sus amigos para decirles:

—*Veréis: yo antes era muy, pero muy vanidoso. Con gran esfuerzo he conseguido quitarme ese defecto. Por eso, ahora, me he convertido en el hombre más perfecto del mundo.*

El tabasco

Llega un mejicano a un almacén gallego:

—*Oye, manito: ¿tienes tabasco?*

—Sí, en la másquina.

Psicología pura

—*Oiga, sargento: ¿cómo se dio cuenta que yo era gallego?*
—Hombre, pues por el físico, las cejas tan juntas, el pelo, el acento tan cerrado, las poses, la boina, las botas al revés, la pistola de agua, el casco que usa para comer el guiso y *otros detalles de su psicolo-gía...*
—*¡Ah!*

Niños malos

El galleguito a su padre:
—*Papá, tres niños me han pegado.*
—¿Y tú te has vengado, Pedrín?
—*¡Claro que me he vengado, padre! Es que si no me ven-go, me matan.*

Trineo

—Abuelito ¿cuál es ése que va por el cielo con un trineo?
—*Papá "Noé".*
—Y mamá tampoco.

Preguntita

—¿Por qué es imposible que un gallego se suicide?
—*No sé.*

—Si se cuelga, es demasiado pesado y la cuerda se rompe. Si se quiere ahogar, es tan cabezón, que flota. Y si se dispara un tiro en la sien, la bala cae en el vacío...

Escalera

—*María, no te subas a la escalera como te pide el Manolo. Lo único que quiere ese desgraciado es verte las bragas.*
—¡Anda, tú! ¡Mira que no lo sé! ¿Te crees tú que soy tonta? ¡Antes de subir a las escaleras, *me las quito!*

¡Arriba las manos!

Entra el asaltante gallego al banco.
—*¡Todos al suelo! Usted, a ver... no se mueva déme todo el dinero que haya en la caja. ¡Rápido o la quemo! ¡Venga, vamos!*
—¡Ay, un asalto justo ahora, con lo cara que está la vida!
—*¿A mí me lo vas a decir que estoy apuntándote con una zanahoria?*

Clavo que sí

Manolo clava un clavo martillando por la punta. Lo ve Paco y le dice:

—Pero ¿qué haces, Manoliño? No sigas. ¿No ves que el clavo que usas es para la pared de enfrente?

CURAS GALLEGOS

Lengua larga

Va el gallego a confesarse.

—*Padre, me acuso de haberle sacado la lengua a mi madre.*

—No te preocupes, casi todo el mundo le ha sacado alguna vez la lengua a su madre.

—*Es que la de mi madre sangraba mucho, padre.*

Poca fe

El cura empieza su sermón:

—*¡Hermanos! Me siento horrorizado por vuestra poca fe. Nos hemos reunido en este santo lugar para pedir a Dios que nos conceda lluvia para nuestros queridos campos gallegos...*

—¿Y eso qué tiene que ver con nuestra poca fe?

—*¡Ninguno de ustedes ha venido con paraguas!*

Padrenuestro

El cura gallego oficia la misa y dice:

—*Ahora recemos el Padrenuestro...*

Y todos empiezan:

—Padrenuestro que estás...

—*Ahora un Ave María...*

—Dios te salve, María...

Y así casi hasta el final, todos muy poseídos por la fe, hasta que el cura ve que las tablas del techo están desprendiéndose y dice:

—¡Las tablas, las tablas!
Y todos responden:
—Dos por una, dos. Dos por dos, cuatro. Dos por tres...

¿Qué ha sido de...?

—Dime, María ¿que es de Pilar?
—¿Depilar? Quitar los pelos uno por uno, ¿no?

Combustible

Los dos gallegos están sentados en la montaña, con su ganado.
—¿Has visto? Hace más de media hora que ese helicóptero está allí arriba, en el aire, sin moverse.
—Seguramente se le habrá acabado la gasolina.

Susto

La madre gallega pregunta:
—Niños, ¿qué hacéis en el sótano?
—¡Nos pajeamos, madre!
—¡Ah, menos mal! Creí que estaban fumando.

Jerarquías

Tres gallegos discutían:
—¿Vais a decirme a mí quién es más importante de nosotros tres? ¡Ja! Sabed que mi tío es cardenal y todos lo llaman Eminencia.

—Eso no es nada. El abuelo de mi mujer también es Cardenal y todos lo llaman Ilustrísima.
—*¡Bah! Mi primo segundo pesa 180 kilos y todos, cuando lo ven, dicen: ¡Dios mío!*

Zoológico

—*Paco, deberías llevar a los niños al zoológico.*
—¡Mujer! Ya los he llevado como diez veces, pero siempre encuentran el camino de regreso.

Padres malos

—Estoy muy triste. Mis padres me acaban de echar de casa.
—*Pero ¿por qué, Manoliño?*
—Pues dicen que porque soy un aprovechado y que porque tengo cuarenta y ocho años y no sé qué gilipolleces por el estilo...

Brindis

—En mi pueblo, allá en Galicia, siempre ponemos una botella de sidra vacía en la heladera.
—*¿Para qué?*
—Para cuando no tenemos motivos para brindar.

Siempre igual

El empleado, a su jefe gallego:
—*¿Me da permiso para salir una horita? Quiero festejar mis bodas de plata.*
—¡Claro! Y después, dentro de veinticinco años, cuando lleguen las de oro, otra vez, ¿no?

¡Aguaaaaaaaa!

El expedicionario gallego llevaba siete días perdido en el desierto. Se le había acabado el agua, se arrastraba entre las dunas.
De pronto, apareció un beduino:
—*¡Agua, un poco de agua por favor!* —pidió el gallego.
—No tengo agua. Yo vendo corbatas. ¿No quiere comprarme una corbata?
—*¿Corbatas? ¡No, carajo! ¡Yo quiero agua!*
El beduino volvió a montar su camello y desapareció.
Dos días después, ya en pésimo estado, el gallego vió aparecer a otro beduino a kilómetros de distancia del lugar anterior.
—*¡Aaaaguaaa... por favor... agua!*
—No, agua no tengo.
—*Le pago lo que quiera...*
—Si tiene dinero, cómpreme una corbata. Yo vendo corbatas...
—*¡Déjese de joder, hombre! Yo quiero agua, ¡por favor! Aaaaagguaaa...*

Al día siguiente, ya al borde de la deshidratación total, divisó un reflejo. Avanzó por las dunas con las últimas fuerzas. Avanzó y avanzó. Arrastrado más por su obstinación gallega que por *las fuerzas que a cada centímetro lo abandonaban más y más.*

Cuando estuvo lo suficientemente cerca de aquello que se le había aparecido como un reflejo, no pudo dar crédito a lo que veía: un paraíso verde de palmeras. *Un enorme oasis*, con maravillosas piletas de natación, bares con *bebidas heladas*, mujeres maravillosas... Pensó que se trataba de un espejismo.

Pero no lo era. Aquel sitio era real. Tan real como los automóviles Mercedes Benz estacionados en la puerta y de los que ahora se aferraba para dar los últimos pasos.

Casi con un último suspiro llegó junto al portero:

—*¡Agua, aaaguaaaa, por favor... un poco de aguaaaa!*

—No puede entrar, lo siento —dijo el portero firmemente.

—*Pero yo estoy muriendo de sed. Y allí hay bebidas, agua, piletas, fuentes... ¿Por qué no me deja pasar?*

—Es que aquí hay que entrar *con corbata.*

Plan Cavallo

El Manolo, lápiz en mano, rodeado de papeles, cuentas y recibos, de pronto le dice a su esposa:

—*¡Al fin! María, he logrado elaborar un presupuesto para esta casa. Con este presupuesto, alcanzará el dinero.*

Pero tiene un pequeño inconveniente: uno de los dos está de más.

El precio de la pasión

El gallego atraviesa el bosque. De pronto, se cruza con un animal y le pregunta:
—¿Quién eres?
—Soy el perro lobo —le contesta el animal.
—¿Y cómo es eso?
—Pues resulta que mi padre fue perro y mi madre, loba.
—*Entiendo* —dice el gallego y sigue su camino.
Al rato, el gallego se cruza con otro animal y vuelve a preguntar:
—¿Y tú quién eres?
—¿Yo? El oso hormiguero.
—*¡Anda ya!*

Propiedad industrial

Era un gallego tan bruto que cuando nació, en lugar de bautizarlo, *lo patentaron.*

Soy un jodón bárbaro

—Dime, Pepe, ¿cuánto es cuatro más cuatro?
—*¡Siete!*
—¡El culo te abrocho!

Soy un vivo bárbaro

—*Mira, Manuel, me compré la videocasetera.*
—Pero ¿de dónde sacaste el dinero, Paco?
—*¡Pues vendí el televisor!*

Celeste, siempre Celeste

—¿Sabes Pepe? Ayer, cuando iba para mi casa, junto a mi portal, había una pareja besándose apasionadamente.
—*¡Bah! ¿Y qué? Eso es normal hoy en día.*
—¿Normal? ¡Pero si era una pareja de la Guardia Civil!

Todo lo que tengo es tuyo

—Dime María: ¿de quién es esta boquita? ¿Y esos ojazos? ¿De quién son estos ojazos? ¿Y de quién es este ombliguito?
—*¡Ay, no sé doctor! En este depósito de cadáveres hay un desorden del mismísimo carajo.*

Voluptuosidad

—¿Sabes cuál es la diferencia entre un voluptuoso y un gallego?
—*No.*

—El voluptuoso utiliza una pluma para excitar a su pareja.
—¿Y el gallego?
—El gallego utiliza *toda la gallina*.

Sexo oral

—A ver, Manolo, ¿qué es lo peor que tiene el sexo oral?
—*Pues, la vista.*

Sexo dental

—*Jesús, ¿por qué los OB vienen con un hilito?*
—¡Qué bruta eres, mujer! El hilito es para que te limpies los dientes después de comer.

Dos con Biblia

El obispo gallego va a un conocido hotel de Madrid. Baja una noche a la discoteca y se acerca a la chica que vendía cigarrillos entre las mesas.
—*Te invito a que subas a mi cuarto* —dice el obispo con cara inocente.
—Pero monseñor —protesta la cigarrera— lo que me dice es terrible. Usted es un hombre de Dios, yo una cigarrera.
—*Pero si está escrito en la Biblia* —dice el obispo.

La cigarrera, que respeta la investidura eclesiástica del gallego, contesta:

—En ese caso, espéreme usted arriba. En media hora, subo.

A la media hora, la muchacha llega al cuarto. El obispo está desnudo, esperándola.

—*Entra hija mía y quítate la ropa.*

—Pero padre...

—*Está escrito en la Biblia, hija.*

La cigarrera accede.

—*Ahora ábrete un poco de piernas que yo voy a meterte...*

—¡Pero Monseñor! ¿Me va a decir que eso también está escrito en la Biblia?

—*Desde luego, hija mía.*

—¿Ah sí? Pues quisiera verlo.

—*¡Cómo no!*

El obispo abre el cajón de la mesita de luz. Saca la Biblia que hay en todos los hoteles de categoría para los clientes, busca en la última página y le muestra a la chica:

—*¿Ves? Aquí alguien escribió:* "La cigarrera del hotel folla con cualquiera".

En una reunión, el gallego comenta con su compañero de mesa:

—*¡Qué casualidad que sea usted experto en libros raros. El otro día tiré una Biblia editada por un tal Guta o Guten no me acuerdo cuánto.*

—¡No me diga que estaba editada por Gutemberg!

—¡Ese, ése era el nombre!

—¿Y me dice usted que tiró una Biblia Gutemberg? Sería bueno que supiera que la última que apareció en el mercado se cotizó en algo más de un millón de dólares.

—*No creo que fuera el caso de la que yo tenía: era una muy vieja y las dos primeras páginas estaban arruinadas porque un tal Martin Luther las había firmado y había escrito un montón de frases en inglés.*

Señorita, con los dedos

—¿Cómo se puede hacer para distinguir a una secretaria gallega entre miles?

—*Ni idea.*

—Fácil. Es la que tipea *cincuenta errores por minuto...*

¡Qué grande es Dios, carajo!

En un accidente, mueren un negro, un argentino y un gallego.

Los tres van al cielo.

Apenas llegan, los recibe Dios.

—*Pregúntenme lo que quieran* —dice Dios.

El negro se atreve y pregunta:

—¿Habrá alguna vez un Papa negro, Dios?

—*Desde luego* —responde Dios.

El argentino, aprovecha:

—¿Habrá alguna vez un Papa argentino?

—*Desde luego, che, desde luego.*
El gallego se saca la gorra y pregunta a su vez:
—¿Habrá, Dios mío, un Papa gallego?
—*Pero por supuesto... aunque no mientras yo viva.*

Esas putas no me engañan

Llega el gallego al consultorio del médico. Se abre la bragueta y deposita su sexo sobre la camilla.
—*Vea esto, doctor. ¿Qué tiene? Está caída, mustia, llorosa.*
—Déjeme ver... Pero está claro. Tiene usted una enfermedad venérea que se llama...
—*¡No diga tonterías hombre! ¡Qué venérea ni leches! Yo no puedo tener una enfermedad de ésas. Porque tomo precauciones.*
—Pero si yo lo he visto a usted por allí con unas putas y me viene a decir que no puede tener venéreas. ¿Qué precauciones ha tomado?
—*A las putas les doy siempre nombre y dirección falsos.*

Casi en la cima

Una expedición gallega intentó escalar el *Monte Everest*, pero fracasó. Treinta metros antes de llegar a la cima, *se les acabaron los caños para seguir con los andamios.*

Hasta las pelotas

Manolo Ortigueira va por primera vez a una discoteca. Todo le llama la atención. Sobre la barra, una especie de florerito con dos pelotitas de golf le hace preguntar:
—¡*Joder! ¿Y ésas qué son?*
—Dos pelotitas de golf. Las usamos como decoración —le contesta el barman.
Quince días después, Ortigueira regresa a la misma discoteca. Adentro del florerito hay ahora cuatro pelotitas de golf. Ya canchero y mientras pide una cerveza, el gallego le comenta al barman señalando las pelotitas:
—*¿Qué? ¿Cazaron otro golf?*

El juego del ahorcado

El gallego fue a un negocio y se compró media docena de corbatas. Llegó a su casa, se las probó y las devolvió porque le quedaban *apretadas...*

Exploradores

—¿Cómo se hace para reconocer a un explorador gallego?
—*No sé.*
—Sencillo: es el que lleva sobrecitos de *agua deshidratada* en la mochila.

Galleguitos brutos

El mayor problema educacional en Galicia es la *deserción en pre-escolar.*

Deseo I
—¿Sabés qué le dijo la rubia al gallego que se baboseaba todo por ella?
—*No.*
—¡Acertaste!

Deseo II
—¿Sabés qué le dijo la rubia al gallego que se baboseaba todo por ella?
—*¿Otra vez?*
—¡Acertaste!

Deseo III
—¿Sabés qué le dijo la rubia al gallego que se baboseaba todo por ella?
—*¡Bueno, basta! ¡Esta es la tercera vez con lo mismo!*
—¡Acertaste!

Muchísimo pis

Manolito García y García recibió la noticia de su incorporación a la mili (*colimba*) con bastante disgusto. En realidad, el galleguito quería salvarse a toda costa. Cuando le dijeron que tenía que llevar una muestra de orina para unos análisis médicos, se compró el frasquito, meó en él pero también hizo mear a su novia, a su padre, a su madre, a su hermana y hasta a su perra.

Y mandó el frasquito.

A los quince días recibió un telegrama del Ejército que decía:

—*De acuerdo a los análisis realizados por nuestros laboratorios, le comunicamos que su padre tiene diabetes, su madre tiene altísimo el colesterol, su hermana está anémica, su novia embarazada de tres meses, su perra está en celo y usted ha sido declarado apto para todo servicio.*

Deseo IV

—¿Sabés qué le dijo la rubia al gallego que se baboseaba todo por ella?

—*¡Bueno, dejáte de joder!*

—¡Acertaste una vez más!

¡Ay, carajito!

Diálogo entre el jefe de personal de una empresa y dos postulantes a un empleo:

—*¿Nombre?*

—Antonio ¡Ay Carajo! Asensio Pizarro.

—*¿Ay Carajo? ¡Qué nombre tan raro!* —dijo el jefe de personal.

—Sí, es que el cura que me bautizó se quemó con una vela justo cuando pronunciaba mi nombre.

—*¡Qué notable! ¿Y cómo se llama usted?* —le preguntó al otro postulante.

—Dionisio. ¡Ay Carajo Otra vez! Fernández Terrado. El mismo cura.

Tramposo

Paco jugaba solitarios. Manuel lo observaba. Al rato, dijo Manuel:

—*Estás haciendo trampas, Paco.*

—¡Shhh, calla, Manuel! No lo digas en voz alta. Durante años he estado haciéndome trampas.

—*¿Y nunca te sorprendiste a ti mismo haciéndote trampas?*

—¡Hombre, no! Soy demasiado listo para eso.

Patas de gallo

—¿Cuando le aparecieron las patas de gallo a la mujer?

—No sé.

—Cuando la gallega gritó: *que te chupe* ¿¿¿quééééé???

¡No puedo abrir, coño!

El gallego estuvo más de dos días sin poder entrar a su auto. Se había olvidado *las llaves puestas con toda la familia adentro.*

Deseo V

—¿Sabés qué le dijo la rubia al gallego que se baboseaba todo por ella?
— *¡No rompas más las pelotas con eso, carajo!*
  -¡Acertaste una vez más!

Asesinato en las alturas

Antonio y Jesús construían una chimenea de 216 metros de altura. Justo cuando estaban poniendo el último ladrillo, a uno de ellos se le ocurrió echar una mirada a los planos.
—*¡Carajo, Antonio! ¡Has estado leyendo los planos al revés! ¡Lo que teníamos que construir era* un aljibe!

Papelón lavable

El gallego Domingo compró papel de empapelar lavable para empapelar su casa, pero sólo lo pudo lavar dos veces: a la tercera, *se lo robaron del tendedero.*

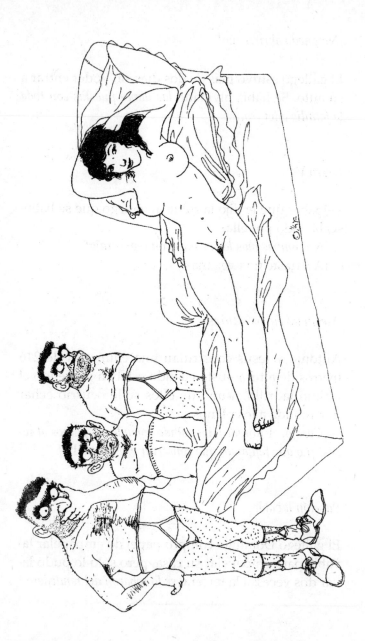

¡Largá la gallina!

Andaba el gallego José con una bolsa al hombro.
—¿Qué llevas ahí, hombre? —le preguntó otro campesino.
—Unas gallinas.
—*Si acierto cuántas llevas en la bolsa ¿me puedo quedar con una?*
—Mira, estoy tan seguro de que no vas a acertar, que si adivinas cuántas llevo puedes quedarte *con ambas.*

En la profundidades

Rodríguez había sido un buen campesino durante quince años en su Galicia natal. Pero había tenido que emigrar a América y allí se había convertido en buzo. Un excelente buzo. Hasta que le tocó rescatar un tesoro enterrado en las profundidades. Sólo él, que era uno de los mejores del mundo, podría llegar hasta allí. Le dieron un pico y comenzaron el lento descenso.
La paga estipulada era jugosísima, siempre que consiguiese desenterrar el cofre de entre rocas y pedruscos.
A las dos horas, Rodríguez pidió que lo alzaran.
Lo elevaron hasta la cubierta del barco y le quitaron la escafandra. Rodríguez transpiraba copiosamente.
—¿¿¿Y???
—*Tendréis que llamar a otro.*

—¿No has encontrado el cofre?

—*El cofre está allí. Sólo hay que dar unos certeros golpes con el pico y el cofre podrá ser elevado. Por eso yo renuncio.*

—Pero ¿qué dices, Rodríguez? Si sacas ese tesoro te corresponde casi un millón de dólares.

—*¡Lo sé carajo! Pero yo no puedo hacerlo. Jamás he podido empezar a trabajar con el pico sin escupirme antes las manos.*

¡Ja, ja, ja, a, ja, ja, ja!

Hay diez gallegos contando chistes.

—Les voy a contar el último chiste de gallegos —dice uno de ellos.

—*¡Venga, cuenta!*

—Es el del gallego que quería venderle al turista americano dos calaveras: una de Franco cuando era joven y otra de Franco ya anciano.

—*Parece un chiste divertido* —dijeron todos casi a coro—. *Cuenta, cuenta, ¿cómo sigue?*

¡La monjita!

Un turista madrileño estaba a punto de entrar a un bar de Santiago de Compostela cuando una monja le cortó el paso.

—Vas a entrar allí a pecar. Vas a consumir veneno. El alcohol es veneno. La bebida del Diablo. Los demonios te poseerán y el alcohol te traerá infelicidad a ti y a tu familia. ¡Dios te aleje de esos sitios!

—*Pero hermana. ¿Usted qué sabe? ¿Usted probó alguna vez el alcohol? Si no lo probó, no puede hablar. Un vaso de vino de vez en cuando estimula, da vigor. Incluso templa el espíritu. Vea, hagamos una cosa. Yo voy a entrar y le voy a traer un trago. Usted lo prueba y después me dice. Si todavía está en contra del alcohol, yo le prometo que no beberé una copa más mientras viva. ¿Qué le parece?*

—No sé, no sé —duda la monja gallega.

—*¡Anímese hermana y verá qué diferente es todo!*

—No sé, no sé. ¿Qué bebida me traería?

—*Coñac. ¿Se atreve?*

—Está bien. Me convenció. Pero haga una cosa. Pida que se lo sirvan en un florero. No quiero que me vean con una copa en la mano.

El madrileño entró y le pidió al barman:

—*A ver: sírvame un vaso de vino y un coñac. Pero el coñac sírvalo en un florero.*

El barman se echó las manos a la cabeza y gritó:

—¡Oh, no! ¡No me diga que esa *vieja monja borracha* está otra vez allí afuera!

Violadita

Mientras la hermana Teresa se dirigía al convento a través del bosque, un hombre joven la violó once veces.

163

Inmediatamente la llevaron al hospital de La Coruña.

La Hermana Superiora, al enterarse, acudió a interesarse por ella.

—*¿Cómo está, doctor?*

—Tranquila, madre, tranquila. La hermana Teresa está bien.

—*¡Oh, gracias a Dios y a la Virgen de los Desamparados!*

—Sólo que dentro de dos horas vamos a tener que someterla a una delicada operación de cirugía estética.

—*¿Cirugía estética? ¿Y para qué necesita la hermana Teresa una operación de cirugía estética?*

—Es que vamos a intentar borrarle esa sonrisa que le ha quedado *permanente*.

Hecho un trapo

Manolín García decidió meterse a monje trapense. Lo recibió el padre encargado y le dijo:

—*Esta es una orden muy estricta. Deberás llevar una vida de penitencia y disciplina. Sólo se te permitirá hablar cada cinco años.*

Manolín accedió. Al final de los cinco años, el padre encargado le dijo:

—*Has sido un buen monje. Se te permitirá decir dos palabras*:

Manolín dijo:

—Cama dura.

—*Así es, hijo. Esto es parte de la disciplina. Ve y sigue con tus tareas.*

Cinco años después, el padre encargado volvió a decirle:

—*Puedes decir tus dos palabras.*

—Mala comida —dijo Manolín.

—*Así es, hijo mío. Pero el monasterio es pobre. Ve y sigue con lo tuyo.*

Cinco largos años más tarde, el padre encargado repitió:

—*Puedes decir tus dos palabras.*

—Me marcho.

—*¡Ya me sabía yo eso! ¡Desde que llegaste, lo único que hiciste fue quejarte, gallego de mierda!*

Confesiones

Pepín tenía diez años y era muy rompehuevos. Cuando el cura salió del confesionario y lo vio sentado en el banco más próximo, temió lo peor.

—*No me digas, Pepín, que has escuchado todas las confesiones de esta mañana.*

—No padre.

—*¡Menos mal!*

—Estoy solamente desde cuando la Rosiña le chupó los cojones al marinero.

¿Cómo es Dios?

El cardenal gallego se muere y va al cielo pero se le permite regresar al Vaticano durante una hora.
El Papa, al enterarse del milagro, dispone todo para recibir al hombre que ha estado con Dios:
—*¡Cuéntanos Paco, cuéntanos! ¿Has estado con Dios! ¿Cómo es El? ¿Es como lo han pintado los artistas?*
—Verá usted: en primer lugar, *Ella* es *negra*...

Equivocado

La mujer se acerca al confesionario:
—*Confieso que he pecado. He fornicado con... pero ¿qué es esto? ¡Usted no es el padre Manuel!*
—No, yo soy el carpintero. Y no sabría decirle dónde está el padre Manuel. Pero si hubiese escuchado las historias que yo escuché en este ratito, *seguramente estaría llamando a la policía.*

Agua fría

El padre *Casimiro Villalba*, originario de Pontevedra, decidió confiar sus más íntimos sentimientos sobre sexo a un psicoanalista, quien le aconsejó:
—*Quizás, cuando estos pensamientos eróticos entran en su mente, usted debería, sencillamente, tomar una ducha fría.*
—Verá, doctor —le dijo el cura—. He tomado tantas

duchas de agua fría ya para luchar contra la tenta-
ción, *que cada vez que llueve tengo una erección*.

Bebida caliente

El gallego salió borrachísimo del bar. Ni veía. Casi
corriendo, entró en la iglesia y se fue derechito al
confesionario. El cura, al verlo entrar, se acercó y
golpeó a la puerta.
Entonces se escuchó la vocecita del gallego:
—*¡No tanto apuro, no tanto apuro que aquí no hay papel
y todavía no sé cómo me las voy a arreglar para limpiar-
me el culo!*

Potentados petroleros

Dos gallegos se encuentran en la calle:
—Oye, Manuel, ¿cómo anda, *eso*?
—*No sé, yo trabajo en YPF*.

Paternidad responsable

Charlan dos gallegos en un bar.
—*Te veo preocupado*.
—Es que voy a ser padre.
—*¿Eso te trae problemas?*
—Podría... ¡Si se entera mi mujer, me mata!

De Marte

Un plato volador aterriza en Galicia. Baja un tripulante, golpea en la casa de un campesino y dice:
—*Vengo de Marte...*
—¿De marte de quién?

El gesto de la lengua

—¿Cómo te ha ido en Italia, Francisco? ¿Has aprendido el idioma?
—*El idioma es fácil. Lo que no me he aprendido bien todavía son los gestos.*

Le va como el culo

A las tres de la mañana el gallego llamó a su amigo por teléfono:
—*Martín, coño, disculpa que te moleste a estas horas, pero me han agarrado las hemorroides y como me he quedado sin la pomada que me pongo siempre, quería saber qué puedo hacer... como tú también sufres de lo mismo.*
—Tranquilo, hombre. Hierves unas hojas de té y te las pones en el culo. El dolor se te irá inmediatamente.
Lo hizo y le dio resultado.
A la mañana siguiente fue al médico pero se olvidó por completo de las hojitas de té de la noche anterior. Se quitó los calzoncillos, expuso su trasero y preguntó:

—*Bueno, doctor, ¿qué ve?*

El médico removió algunas de las hojitas y comentó:

—Hummm, veo un viaje en barco... cobrará una cifra inesperada... en amor habrá sorpresas... y deberá tener cuidado con el dinero.

Examen

Había enormes colas de emigrantes gallegos esperando que les tomaran una prueba: otorgaban visas de trabajo para Australia.

Por fin, le tocó el turno a Paco, que estaba nervioso.

—Tranquilo, hombre tranquilo. Sólo tendrá que contestar a una pregunta. Si lo hace bien, tendrá su visa de trabajo. A ver... piense. Tiene que decirnos qué es un objeto que se pone en los pies... sirve para que caminemos sin lastimarnos...

Manolo sudaba.

—... es de cuero, puede ser de diferentes colores, la parte de arriba se llama capellada... la de abajo se llama suela...

Manolo sudaba...

—Sirve para caminar... tiene suela... es un za...

Manolo se arriesgó:

—¿Zapato?

—¡Sí, muy bien! Aquí tiene usted su visa.

Paco salió y se encontró con su amigo José que estaba a punto de entrar y le sopló:

—*¡La respuesta es zapato, José! Tú di zapato y te dan la visa.*

José entró.

—Le haremos una sola pregunta. Si la contesta bien, le damos la visa. La pregunta es fácil. Ahí va: se trata de un elemento que tiene cuatro patas... las cuatro patas sostienen una tabla lisa, sobre la tabla se puede comer... o los niños pueden hacer los deberes, se pueden apoyar cosas...

José, agrandado por la experiencia de Manuel, arriesgó:

—*¿Tiene cordones?*

—No.

—*¡¡¡Mocasín!!!*

¡Un hombre desnudo en el placard!

El gallego, al ver que se acerca una enorme manifestación, decide cerrar el almacén una hora antes. Baja las persianas y se marcha.

Al llegar a su casa, entra al dormitorio y encuentra a su esposa desnuda en la cama, con el pelo muy revuelto y respirando entrecortadamente.

—*¿Qué te pasa, mujer?*

La única excusa que encuentra la mujer es:

—Creo que tengo un ataque al corazón.

El gallego corre hacia la cocina para llamar por teléfono al médico. Pero le corta el paso su hijo, Manolito, quien le grita:

—¡Papá, papá! ¡Hay un hombre desnudo en el placard!

El gallego abre la puerta del placard y encuentra a

su mejor amigo allí escondido. Enojadísimo, le grita:

—*¡Carajo, Alfonso! La Pepa con un ataque al corazón y tú, grandísimo gilipollas, escondiéndote para asustarme al niño! ¡Joder! ¡Qué imbécil eres!*

El precio de la carne

El Teodoro le dice a Carmen, su flamante mujer:
—*Carmenciña, estoy loco por ti.*
—No sabes cuánto me alegra, Teodoro. Pero hay algo que quisiera confesarte. Antes de conocerte yo trabajaba en un bar americano en topless.
El Teodoro estalla:
—*¡Pero eso es horrible! Hubiese preferido casarme con una prostituta.*
—¿Ah sí? Bueno, a propósito: hay otra cosa que olvidé decirte...

¡Qué circo!

El Federico trabajaba en el circo *"Galicia de mis Ensueños".* Era el encargado de meterle un palo en el culo al elefante cuando el animal no podía cagar.
Su amigo Alfonso, ya asqueado de verlo hacer ese trabajo durante años, con buena intención le dijo:
—*Federico, tu trabajo es horrible. Seguramente podrás encontrar algo mejor.*
—¿¿¿Quééé??? ¡¡¡Eres un mal amigo!!! ¡Lo que quieres es que *yo deje el mundo del espectáculo!*

No te dejes mear

El gallego Jesús va a salir por primera vez de su aldea para pasar unos días en Madrid. Sus vecinos y parientes lo alientan y aconsejan.

—Tú ve tranquilo. Y no dejes que esos tíos de la ciudad te hagan sentir que eres menos que ellos. Tú no dejes que te molesten. Y no te acojones (achiques) por nada.

—*No os preocupéis... No podrán conmigo.*

Jesús llega a Madrid con la clara idea de no dejarse embromar por nadie. Lo primero que ve frente a la estación de trenes es un cartel en un bar que dice: *"Cerveza-Billares".*

Entra porque está sediento y pide:

—*Oiga, déme usted un vaso de "Billares".*

—De eso no tenemos.

—*Tienen allí afuera un cartel enorme que dice que venden "Billares" así que déme usted un vaso de "Billares".*

—Le digo que no tenemos ese trago, hombre.

—*Yo sé muy bien que ustedes quieren fastidiarme. Pero eso no va conmigo. Así que me sirve usted inmediatamente un vaso de "Billares".*

El tipo del bar, podrido ya, agarra un vaso, se va a la trastienda, mea dentro del vaso y se lo da, espumante, al insistente gallego.

—Aquí tiene su "Billares".

El gallego agarra el vaso, bebe un largo trago y comenta:

—*¡Ahhh, si no fuese yo un experto bebedor de "Billares", juraría que esto es orín!*

Mercado del amor

Estaban en la cama. La música muy suave. Las luces tenues. El cigarrillo *"después de..."*. Un par de suspiros. Una caricia. Más suspiros: el rélax después del clímax. Por la ventana podía verse el mar. Las Rías Bajas en todo su esplendor nocturno. Finalmente, se rompió el silencio:
—¿Sabes? *Creo que esto del intercambio de esposas ha sido una buena idea. Apenas leí el aviso en la revista pensé que era lo ideal. No nos ha ido tan mal ¿no?*
—Para nada, Paco. Sólo espero que nuestras esposas estén disfrutando *entre ellas* tanto como nosotros.

Argentino piolísimo

—¿Sabés qué quieren hacerme Manolo? —pregunta el condenado argentino al gallego.
—No.
—¡Ja, ja, ja! *Quieren ejecutarme en la cámara de gas. ¡Ja, ja, ja!*
—¿Y eso te causa risa, gilipollas?
—*Es que la cámara de gas no tiene techo. ¿Entendés, Manolo? No tiene techo. ¡Ja, ja, ja! Ustedes los gallegos tienen fama de brutos, pero con esta, ¡se pasaron, viejito! ¡Ja, ja, ja!*
—Sí, tú ríe. Pero ¡ya verás cuando empiecen a caer garrafas sobre tu cabeza!

La sirenita

Después de doce años en una isla desierta, Paco y Pepe, dos gallegos náufragos, habían aprendido a hablar solamente lo necesario.
Una tarde, Pepe pesca una sirena.
Después de contemplarla embelesado durante una hora, la arroja nuevamente al agua. Entonces, Paco le pregunta:
—*¿Y por qué?*
Pepe contesta:
—*¿Y por dónde?*

Las sandalias del pescador

A la iglesia llegó un curita gallego novato. El párroco, después de ver cómo se desempeñaba, lo llamó y le dijo:
—*Como cura viejo que soy, querido hermano Fermín, quiero decirte que, en líneas generales, tu primer día en el confesionario fue bueno. Sólo que, cuando la mujer del panadero te contó sus infidelidades, tendrías que haberla reprobado con una penitencia en lugar de gritar: "¡La puta madre que la parió, vaya yegua!".*

PREGUNTAS Y... RESPUESTAS

Primeros auxilios
—Oye, Manuel ¿te vendo el auto?
—*¿Y para qué quiero yo el auto vendado?*

Ocho por ocho
—A ver, rápido: ¿cuánto es ocho por ocho Paquito?
—*¡Treinta y nueve!*
—¿Estás seguro?
—*Pero bueno ¿usted qué quiere? ¿Velocidad o precisión?*

Gallego limpísimo
—Oye, José: tú ¿cada cuánto te duchas?
—*Una vez al año ¡haga o no haga falta!*

Yo sé quién me violó
—*¡Socorro! ¡Socorro! ¡Me ha violado un gallego!*
—¿Y cómo sabe que era un gallego?
—*¡Tuve que ayudarlo!*

Pasión arrolladora
En la cama:
—*¿Te ha gustado, Carmen?*
—¿Qué?

Automáticamente

El maestro le explica al galleguito qué quiere decir
"automáticamente". El galleguito no entiende. Ya
exasperado, el maestro le dice:
—*Verás: prácticamente sería así. Imagina que tu padre
sale de la casa. Cuando vuelve, antes de lo esperado, sor-
prende a tu madre follando con otro tío. Bueno, en ese
momento, tú te conviertes* automáticamente *en un hijo
de puta.*

Se había olvidado

Entra el gallego a la farmacia muy exaltado:
—*¡Un forro, un forro que esta noche voy a darle por el culo a la Paca.*
—Oiga, joven, cuide usted su lengua.
—*Tiene razón. Déme dos forros.*

Para entrar al cielo

Llega el gallego al cielo y le pregunta a San Pedro.
—*Los gallegos ¿podemos entrar?*
—¡Claro!
—*¡Gracias, San Pedro, gracias, gracias!...*
—Bueno, hombre, tranquilo. Ya tendrás toda la eternidad para agradecerme. Ahora ve, carga esos envases, entra por la puerta de atrás, me preparas dos cafés y haces pasar al que sigue.

Punto y banca

El mudo entra en la farmacia a comprar un forro. Para hacerse entender, coloca la pija sobre el mostrador y, al lado, el dinero justo. El farmacéutico, un gallego de Pontevedra con bastante sentido del humor, al ver aquello mete la mano en su propia braqueta, pone su pija al lado de la del mudo y, como la tiene cinco centímetros más larga, agarra el dinero, se lo guarda y dice:
—*¡La casa gana, muchacho! ¡La casa gana!*

A mí, el porro ¡ni fu ni fa!

—Acabas de fumar tu primer porro. ¿Qué sientes, Manolo?
—*Nada.*
—¡Anda ya! Dime, ¿qué sientes?
—*¡Nada, coño...! Te digo que no siento nada.*
—Pero, ¿estás seguro, Manolo?
—*Que sí, hombre, que no siento nada: ni brazos, ni piernas, ni cabeza...*

En tren de joda

El turista llega agotado al pueblito gallego y le pregunta a un campesino.
—*¡Dios! ¿Por qué han construido la estación a más de diez kilómetros del pueblo?*
Después de pensarlo durante unos largos segundos, el gallego respondió:
—Verá usted: supongo que habrán creído que era una buena idea construirla *cerca de las vías.*

Primera vez

El galleguito va por primera vez a un prostíbulo. Ya en la cama, la prostituta le pregunta:
—*Dime, chico. ¿Cuántas veces has follado tú?*
—¡Puffff! ¡Miles! —miente el galleguito—. ¡Tantas que ya he perdido la cuenta!

—¡Y la memoria, chaval! Para esto tienes que desnudarte.

—¿En serio?

Poquísima bola

El psicoanalista le daba tan poca bola al gallego Rodríguez que una vez le dijo:

—*Rodríguez, ha llegado tarde. ¡Ya estaba a punto de comenzar sin usted!*

Futuro muy negro

El galleguito al psicoanalista:

—Mis padres están muy preocupados por mí. Con todo el dinero que me dan sólo compro discos.

—*Pero eso no es malo, Rodrigo. No todos los jóvenes aman la música.*

—Pero es que yo no los escucho. Los compro porque colecciono los agujeritos del medio.

Muchos en la cama

—*Me preocupa mi mujer, Paco. Ella duerme en nuestro dormitorio con sus dos perros.*

—Y hacen mucho ruido y tú no puedes dormir.

—*No, no es que me moleste que ladren. ¡Es el olor! Por las mañanas, cuando me despierto, no puedo soportarlo.*

—¡Pero eso no es tan grave, Manuel! ¡Abre la ventana y santo remedio!

—*¿Ah, sí? ¿Para que se escapen todas mis ovejas?*

Sublime obsesión

El psicoanalista a su paciente gallego.

—Le he mostrado más de treinta láminas y en todos los casos usted asoció con lo mismo: "Sexo, sexo, sexo". Sólo me contestó que se trataba de sexo. ¿Por qué cree usted que me ha contestado siempre lo mismo?

—*Muy sencillo doctor: eso es porque yo jamás pienso en otra cosa.*

Gallego ultrasónico

El joven gallego ha viajado por casi todo el mundo. En el bar del pueblo le explica al viejo don José las ventajas del avión súper veloz Concorde.

—*Imagine, don José. Sale usted a las diez de la noche de aquí y a las dos de la mañana está en Chicago.*

—Quieres decirme, ¿qué carajo tengo que hacer yo a las dos de la mañana en Chicago?

Tratamiento

Pepe eligió un médico cualquiera en la guía. Le tocó uno de esos que acostumbran a hablar en plural:

—*Veamos, mi amigo: tenemos dolores de cabeza, nos duele la garganta, fiebre por la mañana y nos cae pesada la comida. Bien. ¿Qué decidimos entonces?...*
El Pepe dudó unos instantes, pero finalmente dijo:
—Pues yo diría que podríamos ir juntos a que *nos viese un médico,* ¿no cree usted?

Lástima que sea una canalla

En el desierto, un legionario perdido. Después de cuatro meses, lo único que quiere es echarse un polvo. Pero sólo encuentra una camella. Decide violarla. Pero la camella se resiste. Intenta otra vez, pero el animal se resiste. Así, durante horas y horas.
Cuando ya está desesperado, aparece una odalisca bellísima, casi desnuda, que le dice:
—¿Cómo te llamas legionario?
—*Manuel Martínez Soria, y hace cuatro meses que estoy perdido en este duro desierto.*
La odalisca casi puede palpar el deseo que refleja la cara del gallego legionario.
Muy insinuante, la hermosísima árabe le pregunta en un susurro:
—¿Puedo hacer algo por ti, legionario?
Los ojos del gallego se iluminan:
—*¡Claro que sí! ¡Sujétame la camella!*

El sexo pasa volando

—Mi general, por los largavistas veo que se acerca una helicóptera.
—*¡Es un helicóptero, imbécil! ¡Un helicóptero!*
—¡Carajo! ¡Qué vista, general!

¿Qué se hace con los huevos?

El galleguito llega a la iglesia con la idea de vender unos huevos que trae de su granja. Entra con la canastita repleta de huevos. El cura, desde el púlpito, le adivina la intención y grita:
—*¡A ver! ¡Saquen a ese de los huevos!*
—¡No, por favor! Sin violencia —grita el galleguito—. ¡De los huevos, no! ¡De los huevos, no!

Hay que cuidar mucho al bebé

Le preguntan a la gallega cómo hace para saber si el agua para el baño de su bebé está a la temperatura ideal.
—*Muy sencillo: si el niño se pone morado, es que el agua está muy fría; si enrojece, es que está muy, muy caliente.*

Más que un 69

El gallego acaba de regresar de su luna de miel.
—*¿Qué tal tu noche de bodas, Manolo?* —le preguntaron sus amigos.

—¡Cojonudamente!

—*Bueno, pero ¿cuántos polvetes te echaste?*

—Setenta justos.

—*¿Setenta? ¡Venga ya, joder!*

—¡Setenta, os digo!

—*Pero si ni siquiera hay tiempo material para echarse setenta.*

—Pues fueron setenta. Veréis: terminó la boda, cogimos el coche y llegamos al hotel. Ya en el ascensor, ella se puso cachonda y ahí le eché el primero.

—*¿En el ascensor?*

—En el mismísimo ascensor. Después, entramos en la habitación. Nos pusimos en pelotas. Yo le chupé el coño y ella me chupó a mí los huevos.

—*Pero hombre, no me jodas: ¡ése es el sesenta y nueve!*

—Sesenta y nueve ¿y uno del ascensor?

El hombre no mojaba, no mojaba

La parejita de gallegos acababa de casarse. Pero el gallego, *nada de nada*. No había aportado *ni introducido*.

La muchacha fue a quejarse a su madre. La vieja gallega se hizo cargo de la situación y habló con su yerno.

—*¿Qué pasa contigo, Antonio? Me dice María que aún no habéis hecho el acto sexual.*

—¿Cómo que no? Nos hemos casado...

—*¡Pero eso no es suficiente! Tienes que copular con ella, cohabitar, joder, follar. ¿Entiendes pedazo de bruto? Va-*

mos a ver: ¿tú has visto lo que hace un perro cuando encuentra una perra?

—Sí, claro.

—Pues eso tienes que hacer. Y esta misma noche.

A la mañana siguiente, la madre interrogó a su hija:

—¿Qué pasó María?

—Nada, madre.

—¿Nada de nada?

—Nada de nada. Bueno, sí. Algo hizo: se pasó toda la noche oliéndome el coño y meando contra el perchero.

Natural mente

Durante la noche de bodas, la gallega le confiesa a su esposo:

—Debo decirte, Paco, que mi dentadura es postiza. Y que lo que llevo dentro del corpiño es relleno y que mi pierna derecha es de madera y que este ojo no es mío, es de vidrio y que...

—Pero mujer. ¿No tienes nada natural?

—Sí: un hijo, pero no me atrevía a decírtelo.

La piel de gallina

Otra noche de bodas. Ella, para aparecer más sexy, estaba desnuda bajo su *abrigo de visón*.

—Ven a la cama, Pepe. Pero no enciendas la luz que quiero darte una sorpresa.

*—Allá voy, si no me parto antes la frente contra un mue-
ble.*

Se arrojó el gallego sobre la cama. Tanteó, palpó y
dijo:

—Carajo, Carmiña. ¿Todo esto es coño?

¡Ataque, Sultán!

El gallego va al psicoanalista.

*—Quiero pedirle consejo, doctor. Siento que soy un pe-
rro.*

—¿Y desde cuándo siente esto?

—Desde cachorro.

¡Qué sorpresa se llevará!

Entra el gallego a una librería cerca de la Facultad
de Medicina.

*—Déme usted una estilográfica de ésas. ¡Qué sorpresa se
llevará el chaval!*

—¿Se la envuelvo para regalo?

*—Pues sí. ¡Qué sorpresa se llevará mi hijo! Se ha recibi-
do de médico y le voy a llevar esto de regalo. ¿Se da usted
cuenta? ¡Menuda sorpresa voy a darle!*

—Bueno, la verdad, una estilográfica de veinte pesos... no creo que se vaya a sorprender mucho.

*—¿Que no? Vaya si se sorprenderá: ¡él esperaba un
auto!*

¡Toro, toro, toro!

Caminaba la galleguita por la orilla del río, tirando de la vaca. Llovía mucho y hacía frío. El cura, que salía de la ermita, le preguntó:

—*¿A dónde vas con la vaca, neniña?*

—Voy a llevarla al toro.

—*¿Y no podía hacerlo tu padre?*

—No, señor cura. Tiene que ser el toro.

¡Bicho, bicho, bicho!

Dos gallegos se fueron al Africa a cazar leones. Llevaban sus escopetas, un libro de instrucciones y otro de primeros auxilios.

Se internaron el primer día en la selva. Hacia el mediodía, Pepe decidió mear contra un árbol. Tuvo tanta mala suerte que una cobra le picó la mismísima punta del pito.

—*¡Pedro! ¡Pedro, ven! Mira qué dice el libro de primeros auxilios para estos casos.*

—Tranquilo, Pepe. Tú agárratelo bien fuerte para que el veneno no penetre. Vamos a ver, déjame que busque aquí... heridas... quebraduras... a ver... quemaduras... veneno... veneno de reptil... aquí está.

Muy nervioso, comenzó a leer entre dientes mientras su amigo se retorcía de dolor en el suelo. Leía el gallego para sí mismo:

—Efectúese un ligero corte en el lugar de la picadura y luego *succione vigorosamente con la boca* para extraer la sangre envenenada.

—¿Qué dice, Pedro, qué dice?
—Lo siento, Pepe, amigo mío, pero aquí dice que no hay remedio, *¡que por cojones te tienes que morir!*

Relaciones

—Oye, Manuel: ¿nosotros tenemos *relaciones sexuales*?
Manuel piensa durante unos segundos y responde:
—*Pues sí.*
—¿Y por qué nunca las invitamos?

Más dura será la caída

El gallego se tira en paracaídas con un altímetro en la mano:
—*Mil metros... ochocientos... todavía no abro el paracaídas... tengo tiempo... setecientos metros... voy bien... quinientos metros... voy bien... doscientos metros... todavía tengo tiempo... cincuenta metros... hay tiempo. Seis metros... Bueno, ¡bah! por lo poquito que falta...* pego un saltito y ¡ya!

Son como niños

Un avión cargado de gallegos atravesaba una terrible tormenta. Los gallegos corrían de un lado a otro y hacían peligrar aún más la estabilidad del avión y la vida de todos.

De pronto, cesó súbitamente el alboroto. Entonces, el capitán preguntó a la azafata:

—*¿Cómo hizo para hacerlos callar?*

—¡Sencillo! Abrí la puerta y grité: *¡Recreo!*

El gran descubrimiento

Va la gallega a la iglesia.

—*Resulta señor cura que tengo novio.*

—Eso, en principio no es pecado.

—*Pero hace tres días que se compró un 600 y lo estrenamos hoy.*

—Bien. Pero, ¿cuál es la falta?

—*Esta mañana temprano fuimos a dar un paseo. Salimos del pueblo. Aparcó en un camino alejado. Me hizo pasar atrás.* "Coloca esta pierna en esta anilla —me dijo— y la otra en aquella". *Cuando yo metí las piernas en las anillas esas, me quedé despatarrada, él me arrancó las bragas y...*

—¿Cuándo dices que compró el coche?

—*Hace tres días, padre.*

—¡Me cago en la putísima madre que me parió! ¡Cinco años llevo yo con un 600 y ahora vengo a descubrir para qué servían esas putas anillas!

Sin zapping

—En nuestro pueblo, en Galicia, siempre ponemos cubitos de hielo sobre el televisor.

—*¿Para qué?*
—¡Para congelar la imagen!

¡Así de grande!

—¿Sabes? Ayer pesqué un pez ¡de treinta centíme-
tros!
—*Pero ¡eso no es nada! Treinta centímetros no es nada.*
—¿Treinta centímetros *entre ojo y ojo*?

Tres deseos

—El Genio concedió tres deseos al gallego Mouriño.
Pero le advirtió que si repetía más de una vez ese
deseo quedaría encantado. El gallego Mouriño pidió acostarse con Sharon Stone. El infeliz no pudo
contenerse y no sólo se acostó una vez. Se acostó
¡tres veces!
—*¿Y quedó encantado?*
—¿Encantado? ¡Encantadísimo!

Noche de bodas

La Paqui se puso mimosa aquella noche y le preguntó a su marido, el Antonio.
—*Anda, dime, ¿cuál es el mejor recuerdo que guardas de
nuestra noche de bodas después de veinte años de casados?*
—¡Que la habitación estaba paga!

La teta vengadora

—¡Carajo, José, cómo tienes ese ojo!
—*Lo tengo morado ¿verdad?*
—¡Como una ciruela!
—*Me lo dejó así mi novia, la Asunción, porque le agarré una teta.*
—¡Joder, qué tía más delicada. Eso es cosa de todos los días.
—*Sí, pero es que yo se la agarré con la puerta del auto.*

Malos tratos

Juzgan a un gallego. El juez dice:
—*Su mujer lo acusa de malos tratos. ¿Tiene algo que decir?*
—¿Sobrevivió?

Un hombre muy rana

El gallego tenía un pene decididamente ridículo.
Erecto, medía menos que la uña de su meñique.
Como buen gallego, decidió visitar a la meiga de su pueblo.
La bruja, al ver tan diminuto sexo, se declaró incompetente.
—*Yo no puedo hacer nada. Pero si te vas a Pontevedra, allí conozco yo una meiga capaz de hacerte crecer esa birria que tienes entre las piernas.*

El gallego partió a Pontevedra. Llegó, mostró y escuchó:

—Haré que tu ridículo cipote crezca como quieras.

—*¿Y eso será caro?*

—¡Nada te costará! Si consigo que semejante mierdica crezca, tú te encargarás de hacerme famosa.

—*Haré lo que sea por tener un miembro, al menos, normal.*

—Tendrás que ir hasta el río Miño. Allí esperarás la luna nueva. A las doce de la noche verás aparecer una rana que reconocerás porque su color es inconfundible. La rana encantada es roja como los labios más rojos. Cuando la encuentres, te acercarás a ella, la tomarás en tus manos y comenzará a tener efecto el encantamiento. Tú le pedirás un beso. Cada vez que la rana encantada te diga "No", aumentará el tamaño de tu instrumento.

Se fue el gallego al río Miño.

La primera noche de la luna nueva, como le había dicho la meiga, apareció la Rana Roja. Se acercó, la levantó con ambas manos y le pidió un beso.

—No —dijo la rana.

El pene pasó a medir, inmediatamente, *¡diez centímetros!*

¡Milagro! ¡Milagro!, —pensó el gallego. Inmediatamente, le pidió a la Rana Roja:

—*Dame un besito, ranita.*

—¡No!

¡Milagro una vez más! *¡Otros diez centímetros!*

Loco de contento, el gallego pensó: con treinta centímetros no habrá mujer que se me resista.

—*Dame un besito, ranita hermosa.*

—¡No! —volvió a decir la rana.

El gallego no lo podía creer. Tenía un miembro de *¡treinta centímetros!* Había pasado de lo milimétrico a lo descomunal.

Engolosinado, razonó: esta es mi gran oportunidad. Si mi pene midiese *cuarenta centímetros*, pasaría a ser un fenómeno mundial. Ganaría fortunas en exhibiciones. Me haría el hombre más famoso del mundo. Y las mujeres estarían aún más locas por mí. Sí, le pediré a la Rana Roja por última vez y me iré feliz como nunca lo había sido antes. Respiró hondo y dijo:

—*Anda, dame un besito, ranita milagrosa.*

—¡Ufa gallego! ¡Qué tío tan pesado eres! No, no y no. Y no, no, no y no. *Y mil doscientas veces no. No.* ¿Has entendido? *¡Noooooooo!*

Movimiento

El gallego termina de hacer el amor con su esposa:

—*¿He hecho algo mal, mujer?*

—No ¿por qué?

—*¡Te has movido tanto!*

La Voz

Llegó Frank Sinatra al pueblito gallego y se presentó ante el Alcalde.

—¡Hola! ¡Soy La Voz!
—Sí, dígame: soy El Todo Oídos.

Mi pobre angelito

—Te veo muy caído, gallego.
—¡Hombre! Es que me han robado dos mil dólares en el colectivo.
—No te preocupés, gallego. A mí también me afanaron mil dólares en el colectivo.
—¿En monedas, como a mí?

Desnúdese inmediatamente

—A ver, Carmiña, desnúdese.
—Pero doctorciño, si ayer me revisó usted y me encontró estupenda.
—¡Por eso, Carmiña, por eso!

Tentación prohibida

El paciente gallego acude al psicoanalista:
—Vea señor González. Usted padece una enfermedad que se llama cleptomanía.
—¡Joder! ¿Y eso qué es lo que es?
—Ni más ni menos que la manía de robar.
—¿Y me puede recetar algo para que me cure?
—En cuanto me devuelva mi lapicera y mi formulario...

A gran profundidad

—¿Sabés por qué los gallegos no hacen la ola en las tribunas cuando van al fútbol?
—*No.*
—Tienen miedo a ahogarse.

Locademia de policía

El policía gallego entró violentamente a los vestuarios del polideportivo de Pontevedra y esposó al campeón de los pesos medios. Sin darle tiempo a nadie para intervenir, se lo llevó a la delegación policial. El comandante, al verlo entrar con el boxeador esposado, estalló:
—*Pero ¿por qué carajo trae al campeón detenido?*
—Preventivamente, mi comandante. Supe que iba a participar en doce asaltos.

El amor nunca muere

El cabo Rodríguez era una verdadera bestia. Cuando se murió la madre de uno de sus soldados, reunió al pelotón y gritó:
—*Todos aquellos que tengan madre ¡un paso al freeenté! ¡No, usted no, soldado Lorenzo!*
—Pero si yo tengo, hombre...
—*¿Cuánto quiere apostar?*

Por una cabeza

—A ver ¿sabés por qué los gallegos no le temen a los jíbaros?
—No.
—¿Cómo harían para reducirles aún más la cabeza?

Leche en polvo

—Dicen que todos los gallegos son sietemesinos.
—¿Por?
—Porque no los aguantan ni sus madres.

Mi pobre angelito II

El gallego iba manejando un auto a lo bestia. En 20 metros cometió cuarenta infracciones. Lo paró un policía:
—¿Tiene permiso para conducir?
—Desde luego.
—Muéstremelo.
—¿Cómo? No traigo a mi padre conmigo y fue él quien me dijo: "Manolito, tienes mi permiso para conducir el coche".

Pepe de Oxford

—Verá, doctorciño: no puedo quitarme la manía de conducir por la izquierda. Me creo inglés, ¿sabes usted?

—¿Y cuál es el problema?
—*¡Que no llego al volante!*

Nadie queda conforme

El gallego tenía un criadero de chanchos. Un día llega un inspector municipal y le pregunta qué le da de comer a los animales.

—*¡Hombre! ¿Cómo qué les doy? Sobras. Desperdicios. La basura.*

—¿Cómo? ¿Le da de comer basura? ¡Por tratar mal a los animales, le pongo ya mismo *una multa de cinco mil dólares!*

Un tiempo después, visita el criadero un inspector de Seguridad Social y le hace la misma pregunta. El gallego, dolido todavía por los cinco mil dólares de multa, responde:

—*¿Y qué les voy a dar? Mis cerdos comen caviar, pavita, helado de fresa y chocolate...*

—¡Pero! ¿Cómo es posible semejante barbaridad? ¡La gente se muere de hambre y usted le da caviar a los chanchos! Usted es un irresponsable: ¡le aplico ahora mismo *una multa de ocho mil dólares!*

Dos meses más tarde, apareció otro inspector:

—Soy de Bromatología y quisiera saber qué le da de comer a sus cerdos...

Quemadísimo por las dos experiencias anteriores, el gallego respondió:

—*Pues verá usted: yo le doy a cada uno veinte pesos por día y ¡que cada cual se compre lo que quiera!*

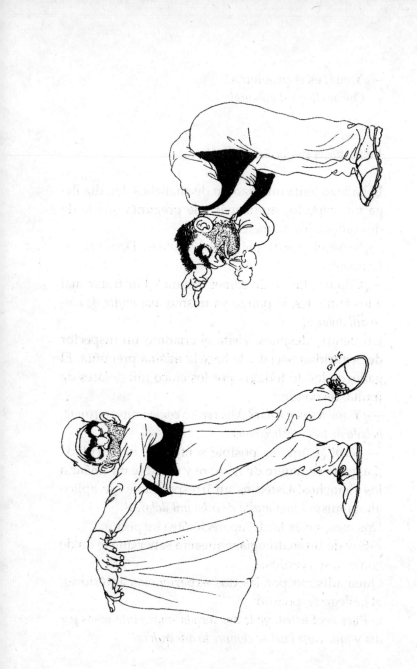

¡Arriba, abajo, arriba, abajo!

En una playa de La Coruña un turista americano hacía flexiones. Como era nudista, aprovechaba el amanecer porque la playa estaba desierta y arremetía con fervor ¡arriba y abajo, arriba y abajo!
Mientras estaba dale que dale, se detuvo a su lado un gallego pueblerino. Durante unos segundos observó al hombre desnudo y su rítmico arriba, abajo, arriba, abajo. Finalmente, dijo:
—*Disculpe, pero creo que la mujer se le ha marchado.*

¡Arriba, arriba, arriba!

Salen los novios de la iglesia. Acaban de casarse.
Unos gritan:
—*¡Arriba la novia!*
Otros corean:
—*¡Arriba el novio!*
Un gallego que pasa, comenta:
—*Si ya están casados ¿por qué no los dejan que decidan ellos?*

Sueños de grandeza

—*Por las noches, los gallegos dejan la puerta del dormitorio abierta.*
—*¿Para qué?*
—*Para que les llegue más fácil el sueño.*

El misterio del cuarto francés

—¿Cómo te fue en Francia, Manolito?
—*¡Très bien, Pepe! ¡Très bien!*
—Tres, bien; pero el cuarto no pudiste echártelo, ¿eh, cabrón?

Lentejas a la gallega

Un gallego a otro:
—*¿Y tú por qué no usas lentes de contacto?*
—Porque no sé dónde se enchufan.

El que la tiene más larga

Gran final del concurso de pijas. El que *la tuviera más larga*, ganaría.
Finalistas: el francés, el italiano y el gallego.
Todo listo para comenzar. Salvo un detalle: el gallego no aparecía. Los jueces, pensando que el gallego no se presentaría, dieron por comenzada la final.
Midieron al francés: *15 metros con 25 centímetros.*
Delirio en las tribunas.
Midieron al italiano: *21 metros, 45 centímetros.*
Los italianos en la gloria. Ya festejaban. Pero justo en ese momento, comenzó a entrar al estadio la cabeza de una pija que llevaba un letrerito colgando que decía:
"Mañana llego: el Gallego"

Letrero expuesto en un acreditado restaurante de Pontevedra, Galicia:
"Debido a circunstancias ajenas y superiores a nuestra voluntad, las listas de platos, el servicio y la actitud del personal de este establecimiento, dejan bastante que desear."

Otro restaurante. Esta vez de Lugo. Un anuncio:
"Se necesita tiempo para preparar una buena comida. La suya de usted estará lista en un segundo."

En una oficina del Ejército en Galicia:
"Si usted puede conservar la serenidad cuando todo el mundo a su alrededor parece perder la cabeza, quizás sea porque no ha comprendido bien la situación."

En un pueblito de montaña en Galicia:
"Le ofrecemos paz y tranquilidad. Sólo los burros transitan por los caminos de nuestras sierras. Por lo tanto, estamos seguros de que usted se sentirá como en su casa en este apartado lugar."

Placa de bronce colocada sobre una represa gallega que pesa doce millones de toneladas:
"Propiedad del estado español. Prohibido quitarla."

Casi, casi, casi, casi

El exitoso empresario gallego de 79 años se casa con su secretaria: una morocha de 22 años, exuberante, magnífica. Van de luna de miel. Al regreso, un amigo le pregunta al hombre cómo le ha ido.

—*¡Estupendamente, estupendamente! Hicimos el amor* casi *todos los días.*

—¿Cómo casi todos los días?

—*Pues sí:* casi *lo hicimos el lunes,* casi *lo hicimos el martes,* casi *lo hicimos el miércoles...*

Amor se escribe sin hache

—*Maestra, horchata ¿se escribe con hache o sin hache?*

—¡Con hache, burro! ¡Sin hache diría horcata!

La hormiga atómica

—Paco, vete a comprar algo para las hormigas que esta mañana ya se comieron el jazmín.

—*¿Y qué les traigo? ¿Una begonia?*

Y que gane el más peor

Importante pelea de box en La Coruña. El árbitro aconseja a los boxeadores antes de la pelea:

—*Bueno, señores, espero que se porten como verdaderos*

deportistas y si tienen alguna cuestión personal, por fa-
vor, nada de arreglarla por las buenas. *¿Entendido?*

Un buen rebusque

En medio de la ceremonia matrimonial pasa el monaguillo con la canastita pidiendo limosna. Una
beata lo toma del brazo, lo sacude, y le dice:
—*Pero ¿qué es esto, monaguillo? ¿No sabes que las li-*
mosnas se piden en las misas y no en los casamientos?
—Sí, lo sé. Pero esto lo hacemos a pedido de Pepe,
el novio.

Médico a palos

El médico le dice a su paciente, un gallego hipocon-
dríaco:
—*Con la salud que usted tiene estoy seguro de que ente-*
rrará a su padre, a su madre, a su esposa y a todos sus hi-
jos.
—¡Ay, doctorciño! Usted me dice esto sólo para hacerme sentir bien.

Smith & Fernández

Pérez y Fernández, dos gallegos muy emprendedo-
res abren un almacén al norte de Oregón, Estados
Unidos. No venden nada. Después de pensarlo mu-

cho quitan sus nombres del cartel y ponen: *"Smith & Smith, artículos para el hogar"*. A las 24 horas ya están vendiendo como locos. Les empezó a ir bárbaro. Sólo que con un pequeño inconveniente. Cada vez que alguien preguntaba por Smith, ellos decían:

—*¿Cuál Smith? ¿Pérez o Fernández?*

Morir como una rata

—*Don Manolo, ¿tiene algún veneno que sea verdaderamente bueno para las ratas?*
—Pues no, doña Carmen. Todos los que tenemos les hacen verdaderamente mal.

Sherlock Pepe

Descubren un robo en una joyería. Llaman al mejor detective de Robos y Hurtos. El tipo llega, observa y le dice a su ayudante.
—*Sólo ha podido ser un gallego.*
—Brillante, jefe. Pero ¿cómo lo sabe?
—*¡Elemental! El ladrón ha hecho un agujero para entrar y otro para salir.*

Momento de meditación

—Padre ¿puedo ver la televisión?
—*Sí, Manolito, pero no la enciendas.*

Hecho en casa

—¿A dónde vas, Paco?
—*A la farmacia, a comprar píldoras para hacer caca.*
—¡Joder, hombre! ¿Y por qué no la compras hecha?

No hay nada como el sol

—¿A dónde vas Felipillo, vestido de astronauta?
—*Al sol.*
—Pero si vas al sol te quemarás vivo.
—*¿Qué sabes tú, gilipollas? ¿O te piensas que soy tan tonto que voy a ir de día?*

Hay que hacerse la página

El bibliotecario gallego era muy minucioso. Mientras registraba un libro que acababan de devolverle, anotaba:
—*Página 83, presenta un agujero* (pasa la página). *Página 84, otro agujero.*

Las unas y los otros

—*¡En México somos todos machos!*
—Pues allá en mi pueblo, Rivadeneira, en Galicia, somos machos y hay también hembras y nos la pasamos en grande ¿sabe usted?

La profecía

—Pero Manolito ¿cómo pones acento en la palabra calor?

—*Es que, maestro, ayer dijeron en la tele que este año se acentuaría el calor.*

Nunca te olvidaré

El gallego aquél era tan rico como avaro. Una noche, en un restaurante comió opíparamente. El mozo, luego de cobrarle, extendió la mano y dijo:

—*Espero que el señor no se olvidará de mí.*

—No, joven. Ya le escribiré.

¿Me da su permiso?

Charlan Paco y Pepe en el bar del pueblo.

—*Yo jamás permitiría que mi mujer se tiñera el pelo.*

—Pero si tu mujer era rubia y ahora se tiñó de morena.

—*Sí, pero ¡sin permiso!*

¡Nada de nada!

Un paracaidista gallego se arroja del avión.
Tira de la primera anilla y ¡nada!: el paracaídas no se abre.

Tira de la anilla de emergencia y *¡nada!*: el paracaídas no se abre.

Tira de la última y *¡nada!*: el paracaídas no se abre.

Cae vertiginosamente. De pronto, ve que otro gallego viene en dirección contraria... sube desde la tierra hacia el cielo, también a gran velocidad.

Desesperado, el paracaidista, por reflejo y como última oportunidad, le grita al gallego que está subiendo:

—*¡Oiga! ¿Sabe usted algo de paracaídas?*

Y el otro le contesta:

—¡Nada de nada! ¡Ni de paracaídas *ni de calderas!*

Exceso de equipaje

—¡Pero, Paco! ¡Estás destrozado! ¿Así te ha dejado tu mujer después de la pelea? Si mi mujer llega a hacerme eso, la mato.

—*¿Y qué crees que traigo en estas dos maletas?*

Economía estabilizada

—*¿Qué hacen sus hijos?* —le preguntan al gallego.

—El mayor, gracias a Dios, es abogado. El del medio, dentista. El menor es arquitecto y la mujercita contadora.

—*¿Y usted?*

—Yo, por suerte, soy portero y puedo mantenerlos a todos.

A toda máquina

—Estoy indignado, Pepe. Acabo de enterarme de que han echado a Juan, el maquinista, porque entró en la oficina del jefe de Estación sin pedir permiso.
—*Así es, Cristóbal.*
—No se puede echar a un tipo solamente por entrar sin pedir permiso.
—*Llevas toda la razón, Cristóbal. Pero es que el Juan entró en la oficina con la locomotora.*

Nueva cocina gallega

—Dime Manolito: ¿se puede comer la carne de ballena?
—*Sí, maestra. Claro que sí.*
—Muy bien, Manolito. Y dime: ¿qué se hace con los huesos de la ballena?
—*Se los deja en el borde del plato, maestra.*

Alcohólicos súper conocidos

El médico a su paciente gallego:
—No sé qué decirle. Esto no me ha pasado antes: no puedo encontrar el origen exacto de su mal. Sospecho que se debe a la bebida.
—*No se preocupe, doctor. Si es por eso, puedo volver otro día cuando esté usted más sobrio.*

Encuentro con Venus

—¿*Por qué una mucama gallega se pone los ruleros un domingo por la noche?*
—No sé.
—*Porque tiene una cita amorosa el jueves siguiente.*

¡Cuidado con el cólera!

—¡Mozo! El agua que me trajo está sucia.
—*¡Ande, hombre, no exagere! Es sólo que el vaso está un poco roñoso.*

Para sacar la cabecita

—En Galicia, los patrulleros tienen dos agujeros en el techo.
—¿*Para qué?*
—Para que el policía pueda asomar la cabeza y vaya gritando: ¡*Aiuuu, aiuuuu, aiuuu!* para abrirse paso.
—¡*Joder! ¿Y el otro agujero?*
—Para que otro policía grite: ¡*Azul, azul, azul!*

Algo mucho peor

Hacía rato que el cura Manolo le había echado el ojo a Marifé.
—*Quiero confesarme padre, pero siento vergüenza.*

—Bueno, tranquila, hija. Vendrás a la sacristía y allí podrás aliviarte.

Una vez instalados cómodamente, la muchacha comenzó:

—*He pecado con mi novio. He hecho cosas sucias.*

—¿Por ejemplo? ¿Te ha besado así? —preguntó el cura mientras la besaba en la mejilla.

—*Sí, y algo mucho peor.*

El cura la besó entonces apasionadamente en la boca.

—¿Te ha besado así?

—*Sí, y algo mucho peor.*

—¿Algo así? —preguntó el cura mientras le acariciaba las tetas.

—*Algo así y algo mucho peor...*

El cura le abrió las piernas, se desabrochó la bragueta y la penetró:

—¿Te hizo así, y así, y así, y así...?

—*Sí. Estuvo, como usted, más de quince minutos mete y saca, mete y saca... pero me hizo algo peor aún.*

Ya agotado, el cura preguntó:

—¿Algo peor? ¿Qué pudo hacerte peor que esto?

—*Me contagió el sida padre.*

Penitencias

Una rubia estupenda llegó al pueblito gallego y se confesó:

—*He pecado, padre. En cinco días hice ocho veces el amor con mi novio.*

—Reza un Ave María, hija.

—*Sí, padre. Pero no entiendo. Hace un mes, en Madrid, confesé este mismo pecado y de penitencia me hicieron rezar cincuenta Ave Marías.*

—Puede ser. Pero ¿qué saben en Madrid *de follar como Dios manda?*

Don Antonio y Pepitín

Un gallego va a un café concert. Se divierte bastante con las actuaciones hasta que le toca el turno al ventrílocuo: *Don Antonio con su muñeco Pepitín.*

El ventrílocuo sienta a su muñequito *Pepitín* sobre las rodillas y comienza su número. El gallego se pone inmediatamente serio porque *Don Antonio* empieza a contar chistes de gallegos.

—*¿Saben por qué los gallegos crían chanchos en el patio de atrás de sus casas?* —pregunta el ventrílocuo Don Antonio.

—Sí —responde el muñeco Pepitín—. Para enseñarle a caminar a sus hijos.

El gallego comienza a juntar presión. A los quince minutos y cuando don Antonio con su muñeco Pepitín están a punto de terminar su rutina, el gallego se para y grita:

—*Esto es una falta de respeto. Nos faltáis el respeto de una manera desconsiderada. Esto es un abuso. Esto es falta de educación disfrazada de humor. Estoy harto de su sorna y de su ironía para con los gallegos. ¡Usted es un racista de la peor calaña!*

El ventrílocuo Don Antonio se siente obligado a responder a ese ser humano tan herido:

—Le pido perdón humildemente. La intención no era herir. Por eso...

El gallego, mucho más enojado aún, lo interrumpe violentamente:

—*¡Usted se calla, coño, que con usted no me he metido! ¡Es al Pepitín ése a quien le hablo!*

SIETE PREGUNTAS PELOTUDAS

Dedos

—¿Por qué las fosas nasales de los gallegos son tan grandes?

—*Porque tienen los dedos muy gordos.*

Gallego computado

—¿Cómo se hace para saber que un gallego acaba de usar la computadora?

—*No sé.*

—Queda toda la pantalla marcada con *"liquid paper"*.

Muy cerebral

—¿Cómo se le dice a un gallego al que le funciona la mitad del cerebro?

—*No sé.*

—Genio.

Grandes diferencias
—¿En qué radica la diferencia entre un gallego y un mono?
—*En la mirada astuta del mono.*

Encuesta
—Oye, muchacho: ¿Tú trabajas o estudias?
—*¿Lo cualo?*
—Que si trabajas...

Moto
—¿Por qué los gallegos no andan en moto?
—*No sé.*
—Porque no les encuentran los pedales.

La más fresca
Llega el gallego al almacén con una mujer muy llamativa y pide:
—A ver, deme una Coca.
—*¿Familiar?*
—No. Es una prostituta, pero tiene sed.

Sin zumbidos

El gallego Martínez viajaba por primera vez en avión. Cuando estaban por aterrizar, se acercó la azafata, le dio un chicle y le dijo:
—*El chicle es para que no le zumben los oídos durante el aterrizaje.*
Apenas el avión tocó tierra, el gallego gritó:
—¡Oiga, moza!, su truco ha funcionado. ¡Cojonudo!

Ahora ¿me podría ayudar a despegarme el chicle de las orejas?

Hubo una vez...

...un gallego tan tonto, pero tan tonto, que *hasta los otros gallegos se dieron cuenta.*

¡Eres de los nuestros!

En el Madison Square Garden tocaba el célebre pianista *John Archibald Stoneward.* Era un verdadero suceso mundial.

El gallego Mariñas entró equivocado. Pensó que habría box y se encontró con el concierto.

Apenas Stoneward se acomodó frente al piano, el gallego Mariñas sintió un súbito interés por él. Siguió todos sus movimientos con mucha atención y aplaudió enardecido en el final.

—*¡Bravo, bravo, Juan!* —gritaba Mariñas, desaforado.

Mariñas se abrió paso entre la multitud y llegó hasta los pasillos de camarines donde estaba Stoneward rodeado de periodistas y le gritó:

—*¡Así lo hacen los de mi pueblo, Juanito! Le has echado muchos huevos, Juanillo ¡Tú sí que eres gallego!*

Stoneward se puso blanco al oír aquello. Tomó a Mariñas por un brazo y lo empujó hasta su camarín.

—¿Cómo sabe que soy gallego? Lo he ocultado a todos. He borrado mi pasado durante cuarenta años. Nadie conoce mi identidad. Los críticos tienen más respeto por un sajón que por un gallego. Por eso me rebauticé. ¿Cómo descubrió que *soy gallego*?

—*¡Nada más fácil, Juanito! Cuanto te sentaste para empezar a tocar, en lugar de acercar la banqueta al piano, acercaste el piano a la banqueta. ¿Quién sino un gallego haría algo así? ¡Grande Juanito, carajo!*

Esta edición
se terminó de imprimir en
Cosmos Offset S.R.L.
Coronel García 444, Avellaneda,
en el mes de marzo de 1994.